Un grand week-end
à Montréal

Un grand week-end à Montréal

Même si le français y est la langue officielle, Montréal n'a rien d'une ville française. Il ne faut surtout pas essayer d'y retrouver nos propres schémas de pensée ou de fonctionnement, car c'est bel et bien une ville nord-américaine, avec tout ce que cela implique de démesuré, d'extravagant et de multiculturel. Cet héritage se traduit aussi par l'accent mis, non pas sur les apparences de la ville, mais sur l'ambiance qui s'en dégage.

Comme dans la plupart des métropoles de ce continent, l'harmonie architecturale n'est pas la préoccupation première. Une ville est belle pour ce qu'elle dégage, et c'est ce qui fait toute la grandeur et la richesse de Montréal. Il suffit de longer la rue Sainte-Catherine (un des axes principaux du centre-ville) pour s'en rendre compte. Ni belle, ni laide, cette rue est étonnante, déroutante, indéfinissable et pourtant on s'y sent bien. D'autres quartiers se singularisent par le charme de leurs bâtiments et leur ambiance décalée. C'est bien sûr le cas de la vieille ville affectueusement appelée « le Vieux ». Le contraste y est tel qu'on pourrait presque penser qu'il s'agit d'un village indépendant. L'absence de couleurs, le silence, l'étroitesse des rues pavées, le passage des calèches et la proximité du fleuve nous ramènent à une autre époque, ponctuée d'influences européennes. Loin de l'effervescence du centre-ville, il est alors facile de croire que le temps s'est arrêté et de se laisser aller à la flânerie sur la promenade du Vieux-Port ou de visiter les multiples galeries d'art qui longent la rue Saint-Paul. Dans un tout autre style, les rues du Plateau Mont-Royal forment un deuxième « village », typique de la ville. Rien à voir avec le précédent. Ici, les couleurs sont partout, avec des maisonnettes de briques peintes en jaune, en rose, en vert ou en bleu.

Les duplex et triplex des maisons mitoyennes exposent avec fierté leurs escaliers extérieurs aux formes si élégantes et audacieuses qu'ils deviennent comparables à des œuvres d'art. C'est un quartier résidentiel où il fait bon vivre et se promener.
Un petit coin de campagne qui fait vite oublier que l'on se trouve au cœur de la ville… Mais Montréal ne serait pas si attachante sans son aspect multiculturel. Certes, son histoire a permis à ses habitants d'être bilingue et de s'imprégner des cultures française et anglo-saxonne, mais il n'y a pas que cela. Montréal est aussi une terre d'accueil qui permet à ses immigrants de vivre et de s'exprimer comme ils l'entendent. Ainsi, de multiples quartiers, sortes de villages microscopiques, se sont formés grâce aux différentes communautés ethniques qui peuplent la ville. Il est si agréable de boire un cappuccino à la Petite Italie, de découvrir des fruits exotiques dans le quartier chinois ou de s'arrêter chez Schwartz's pour son délicieux *smoked meat*, devenu un symbole de la ville. Ce multiculturalisme ambiant, véritable critère de tolérance, permet à chacun de trouver sa place et c'est pourquoi on se sent si bien à Montréal ! Une ville bohème, sans complexe, où la fantaisie et la créativité sont perceptibles à chaque coin de rue. Alors, si son architecture inachevée ou composite nous déstabilise parfois, rien ne vaut la chaleur et la joie de vivre qui s'en dégagent.

Québec
141 MVJ
Je me souviens

N'est-ce pas finalement l'essentiel ? Pour mesurer cette sensation de liberté et de puissance, grimpez au sommet du Mont-Royal (affectueusement appelé « la montagne » par les Montréalais), remplissez vos poumons d'air pur et admirez l'immensité du panorama qui s'offre à vous !

Calendrier des événements à Montréal

Votre voyage à Montréal est prévu ? Voici de quoi agrémenter votre séjour avec une sélection de manifestations et festivités. Été comme hiver, les occasions ne manquent pas de profiter de cette ville d'une grande richesse humaine et culturelle.

Février

Rendez-vous du cinéma québécois

Pendant 10 jours fin février, différents cinémas de la ville proposent une programmation 100 % québécoise. À découvrir !

☎ (514) 526 9635
www.rvcq.com

Février – mars

Montréal en lumière

Voir p. 25.

☎ (514) 288 9955

Mars – avril

Le temps des sucres

Véritable rituel saisonnier qui permet la production de sève d'érable pour l'année à venir. L'occasion de se rendre dans une cabane à sucre et de participer au festin gargantuesque de rigueur ! (voir p. 22-23 et 76.)

www.tourisme-montreal.org

Mai

Journée des musées montréalais

Le dernier dimanche de mai, une trentaine de musées ouvrent leurs portes gratuitement et mettent à disposition un bus, également gratuit, qui permet de les relier.

www.museesmontreal.org

Mai – juin

Festival Transamériques

Durant plus de 15 jours, ce festival de théâtre et de danse accueille des compagnies de la scène internationale.

☎ (514) 842 0704
www.fta.qc.ca

Rejoignez-nous sur Facebook ! Retrouvez toute l'actualité (expos, nouvelles adresses, infos pratiques...) et partagez vos bonnes adresses ! www.facebook.com/GuidesUnGrandWeekend

Mai – septembre

Piknic Electronik

Chaque dimanche durant la saison estivale, une scène 100 % électro est aménagée place de l'Homme au cœur du parc Jean-Drapeau pour une après-midi de concerts en plein air très appréciés de la faune montréalaise.

☎ (514) 904 1247
www.piknicelectronik.com

Juin

Grand Prix du Canada

Chaque année durant 3 jours, le circuit Gilles-Villeneuve, étendu sur 4,5 km et situé sur l'île Notre-Dame au sein du parc Jean-Drapeau (voir p. 75), accueille l'une des courses les plus célèbres de Formule 1.

☎ (514) 350 0000 (billets)
www.circuitgilles villeneuve.ca

Fête nationale

Le 24 juin, c'est la Saint-Jean-Baptiste ou fête nationale du Québec (bien plus célébrée ici que la fête du Canada qui a lieu

le 1er juillet). La ville organise un défilé l'après-midi suivi d'un grand spectacle de plein air.
www.fetenationale.qc.ca

Francofolies
Montréal accueille durant 11 jours la plus grande fête de la chanson francophone avec près de 70 spectacles en salle et 180 concerts extérieurs gratuits.
☎ (514) 876 8989
www.francofolies.com

Juin – juillet

International des feux Loto-Québec
Ce concours international d'art pyrotechnique est un rendez-vous féerique ! Chaque samedi soir, un pays concourt pour remporter le prix du plus beau spectacle de feux d'artifice tirés depuis la Ronde, le parc d'attractions de l'île Sainte-Hélène (voir p. 74).
☎ (514) 790 1245
www.internationaldes feuxloto-quebec.com

Juillet

Festival international de Jazz
Voir p. 25.
☎ (514) 871 1881
www.montrealjazzfest.com

Juste pour rire
Voir p. 25.
☎ (514) 845 2322
www.hahaha.com

Festival Nuits d'Afrique
Un festival entièrement consacré à la musique africaine avec des artistes de renommée internationale, mais aussi des artistes locaux : les Africains de Montréal !
☎ (514) 499 9239
www.festivalnuits dafrique.com

Montréal Complètement Cirque
Ce grand festival des arts du cirque initié par plusieurs grandes compagnies montréalaises comme le Cirque du Soleil ou le Cirque Eloize, réunit des troupes du monde entier pour plus de deux semaines de folie circassienne !
☎ (514) 790 0072
www.montreal completementcirque.com

Août – septembre

Festival des Films du monde
Manifestation d'envergure mettant en compétition des films provenant d'environ 70 pays et dont le but est d'encourager la diversité culturelle et la compréhension entre les peuples.
☎ (514) 848 3883
www.ffm-montreal.org

Septembre – octobre

Magie des Lanternes
Des centaines de lanternes fabriquées à la main en Chine recréent un décor asiatique et féerique au cœur du Jardin botanique pour le plus grand bonheur des petits et des grands.
☎ (514) 872 1400
www.museumsnature.ca

Octobre

Braderie de mode québécoise
Grand événement de la mode montréalaise auquel participent une quarantaine de designers dont Dubuc Style, Nadya Toto, Marie Saint-Pierre, Shan… Une bonne façon d'acquérir des vêtements de créateurs à petit prix !
☎ (514) 866 2006
www.braderiedemode quebecoise.com

Novembre

Rencontres internationales du Documentaire de Montréal
Mi-novembre, un rendez-vous incontournable des amateurs du cinéma documentaire avec plus de 100 films en provenance d'une trentaine de pays, des tables rondes et ateliers, des projections-débats et des rencontres avec les réalisateurs.
☎ (514) 499 3676
www.ridm.qc.ca

Salon du Livre
Grand rendez-vous littéraire d'une semaine pour découvrir plus amplement les auteurs québécois et même de les rencontrer !
☎ (514) 845 2365
www.salondulivre demontreal.com

Décembre

Salon des Métiers d'art du Québec
Durant presque tout le mois, un salon d'expo-vente destiné aux huit familles de métiers d'art : céramique, bois, textile, cuir et peaux, papier, verre, métaux et autres matériaux.
☎ (514) 861 2787
www.metiers-d-art.qc.ca/ smaq/

Feux sur Glace
Véritable coup d'envoi de la période des fêtes et de l'hiver, de sublimes feux d'artifice colorent le ciel et animent le Vieux-Port chaque samedi soir dès 20h et le 31 décembre dès minuit. Chaussez vos patins à glace et admirez-les depuis la patinoire des Quais, sur le bassin Bonsecours !
☎ (514) 496 7678
www.quaisduvieuxport.com

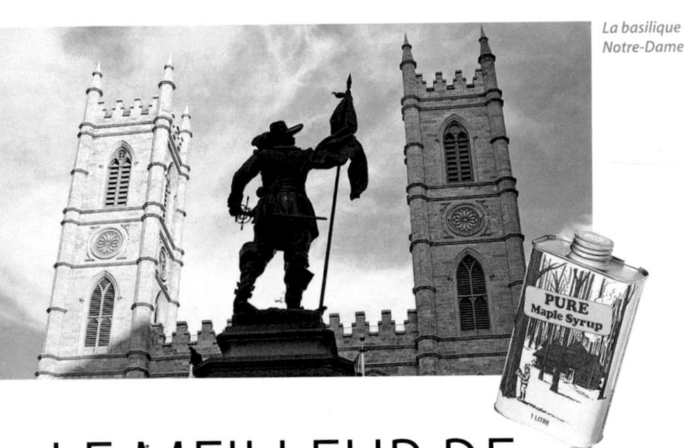

La basilique Notre-Dame

LE MEILLEUR DE Montréal

Musées, monuments mais aussi balades ou activités, voici ce qu'il ne faut pas manquer à Montréal. Vous retrouverez toutes nos suggestions détaillées au fil des pages de ce guide.

Musées et monuments

L'oratoire Saint-Joseph
Voir Visite n° 13 p. 67
et « Zoom sur » p. 78.

Le musée d'Art contemporain
Voir Visite n° 7 p. 54
et « Zoom sur » p. 79.

Le musée des Beaux-Arts
Voir Visite n° 6 p. 53
et « Zoom sur » p. 80.

Le centre d'Histoire
Voir Visite n° 2 p. 44
et « Zoom sur » p. 81.

Pointe-à-Callière
Voir Visite n° 2 p. 44
et « Zoom sur » p. 85.

La basilique Notre-Dame
Voir Visite n° 3 p. 46
et « Zoom sur » p. 87.

Balades dans les parcs et jardins

Voyager à travers les serres du Jardin botanique
Voir Visite n° 16 p. 72
et « Zoom sur » p. 82.

Pique-niquer au parc La Fontaine un dimanche d'été
Voir Visite n° 10 p. 61
et « Zoom sur » p. 84.

Gravir le parc du Mont-Royal
Voir Visite n° 13 p. 66
et « Zoom sur » p. 83.

Prendre un bol d'air le long des quais du Vieux-Port
Voir Visite n° 2 p. 45
et « Zoom sur » p. 86.

Plateau du Mont-Royal

La fête des Neiges

La ville souterraine

Vivre à l'heure de Montréal

Magasiner parmi les boutiques de fripes du Plateau et ressentir l'âme bohème du quartier
Voir Magasiner p. 132.

Aller écouter les « tam-tams »
Voir Visite n° 13 p. 67.

Goûter au sandwich à la viande fumée chez Schwart'z
Voir Visite n° 8 p. 57.

Se balader en vélo à travers les ruelles du Plateau ou le long du canal Lachine
Voir mode d'emploi p. 38
et Visite n° 15 p. 70.

Se sucrer le bec dans une cabane à sucre
Voir Comprendre p. 22-23
et Visite n° 18 p. 76.

Passer une soirée au Bistrot à Jojo
Voir Sortir p. 138.

Profiter des joies de l'hiver en pleine ville
Voir Comprendre p. 21 et p. 27.

Plateau du Mont-Royal

L'oratoire Saint-Joseph

Partir à Montréal

Le climat

La question des saisons doit se poser plus que jamais avant d'entreprendre un séjour à Montréal.
Des températures extrêmes orchestrent le rythme de la ville et de ses habitants (voir p. 20-21). L'hiver, le froid domine. Dès le mois d'octobre, la fraîcheur commence à se faire sentir et les premières gelées ne sont plus très loin. Les températures glaciales s'installent peu à peu en décembre et plongent la ville dans une phase de froid intense (mais très ensoleillée) ponctuée de tempêtes de neige jusqu'en mars-avril. Pendant cette période, le thermomètre oscille entre -5 ° et -15 °C, sans tenir compte des éventuelles rafales de vent qui peuvent encore faire chuter les températures. Le temps est variable et incertain au mois d'avril, et ce n'est qu'à partir du mois de mai que les beaux jours arrivent. Jusqu'à fin septembre, les journées sont belles et agréables avec des mois de juillet et août pouvant être très chauds (jusqu'à 30 °C) et humides.

Prévisions météorologiques :
Service météorologique du Canada
☎ (514) 283 3010
www.meteo.ec.gc.ca

S'informer avant de partir

Ambassade du Canada
35, avenue Montaigne
75008 Paris
☎ 01 44 43 29 00
🅕 01 44 43 29 99
www.france.gc.ca
Lun.-ven. 8h-18h30.

Librairie du Québec
30, rue Gay-Lussac
75005 Paris
☎ 01 43 54 49 02
Mar.-ven. 10h-19h,
sam. 12h-19h.

Délégation générale du Québec
66, rue Pergolèse
75116 Paris
☎ 01 40 67 85 00
www.quebec.fr

Centre culturel canadien
5, rue de Constantine
75007 Paris
☎ 01 44 43 21 90
www.canada-culture.org

Tourisme Montréal
www.tourisme-montreal.org
Site de l'office du tourisme de Montréal offrant une multitude d'informations et de conseils pour profiter pleinement de votre voyage.

Comment s'y rendre ?

Pour se rendre à Montréal depuis Paris, plusieurs vols directs sont affrétés quotidiennement. L'aéroport Pierre-Elliott-Trudeau

TÉLÉPHONER À MONTRÉAL

Pour appeler Montréal depuis la France, composez le 00 1 514 suivi du numéro de votre correspondant.

(anciennement appelé Dorval) demeure l'unique aéroport de Montréal, celui de Mirabel ayant cessé ses vols passagers depuis novembre 2004.

Air France
Depuis la France :
☎ 36 54 (t. l. j. de 6h30 à 22h).
Depuis le Canada :
☎ 1 (800) 237 2747
www.airfrance.fr
La compagnie propose 2 ou 3 vols quotidiens au départ de Roissy-Charles-de-Gaulle. Les tarifs sont variables, mais en achetant vos billets longtemps à l'avance les prix peuvent être attractifs (environ 500 € pour un aller-retour).

Air Canada
Depuis la France :
☎ 0 825 880 881 (lun.-ven. 9h-18h).
Depuis le Canada :
☎ 1 (888) 247 2262
www.aircanada.ca
La compagnie propose 1 vol quotidien au départ de l'aéroport Roissy-Charles-de-Gaulle. Les tarifs sont également très variables et à peu près similaires à ceux pratiqués par Air France.

Air Transat
Depuis la France :
☎ 0 825 120 248 (réservation) ou
☎ 01 49 88 18 98 (horaires des vols).
Depuis le Canada :
☎ 1 (877) 872 6728
www.airtransat.fr
Cette compagnie canadienne de charters propose 1 ou 2 vols quotidiens au départ de l'aéroport Roissy-Charles-de-Gaulle. Leurs tarifs sont attractifs avec des promotions pouvant aller jusqu'à 400 € l'aller-retour. En revanche, sachez qu'à bord les boissons sont payantes, tout comme les écouteurs.

Corsair
Depuis la France :
☎ 0820 042 042
Depuis le Canada :
☎ (514) 871 5168
www.corsair.fr
Corsair, compagnie du groupe Nouvelles Frontières, propose plusieurs vols charters hebdomadaires à des prix très compétitifs, à partir de 440 € l'aller-retour.
Il existe aussi de plus en plus d'organismes de voyages, accessibles sur Internet, qui proposent des offres promotionnelles, y compris sur des compagnies régulières. Mais attention, la plupart de ces billets sont soumis à des conditions très strictes et ils sont rarement échangeables.
www.anyway.fr
www.expedia.fr
www.lastminute.fr
www.opodo.fr

Voyages-sncf.com
Voyages-sncf.com, première agence de voyages sur Internet, accessible 24h/24 et 7 j/7, vous propose ses meilleurs prix sur les billets de train et d'avion, chambres d'hôtel, locations de voiture, séjours clés en main ou Alacarte®.
Vous avez également accès à des services exclusifs : l'envoi gratuit des billets à domicile, Alerte Résa pour être informé de l'ouverture des réservations, le calendrier des meilleurs prix, mais aussi des offres de dernière minute, de nombreuses promotions…

ÉLECTRICITÉ

Au Canada, le courant électrique est de 110 volts. Pensez à vous munir d'adaptateurs pour vos appareils électriques.

De l'aéroport au centre-ville

Les taxis

Situé à une vingtaine de kilomètres du centre-ville, l'aéroport Pierre-Elliot-Trudeau est très facile d'accès. Pour se rendre en ville, le plus simple est de prendre un taxi. Le trajet dure environ 20 minutes et le tarif de la course est fixé à 38 $ (plus le pourboire).

Les navettes

Il existe une ligne d'autobus express (747), extrêmement pratique, qui vous mènera de l'aéroport au centre-ville (et inversement). Ce bus est en opération 7j/7 et 24h/24. Une fois en ville, le bus dessert la station de métro Lionel-Groulx (B4), puis différents arrêts situés le long du bd René-Lévesque (au croisement des rues Guy, Drummond, Peel, Mansfield, Anderson et St-Laurent - B4/C4) avant de se rendre à son point final, Gare d'autocars de Montréal au métro Berri-Uqam (I6). Le prix du billet pour un aller simple est de 7 $, valable pour le métro durant 24h. Attention, si vous ne possédez pas la monnaie exacte (seules les pièces de monnaie sont acceptées dans les bus), vous devrez acheter votre ticket avant de monter dans le bus auprès du bureau de change (ICE) de l'aéroport situé au niveau des arrivées. Le prix du billet est également compris dans la carte de métro valable 3 jours à 14 $ (voir p. 36). Départ toutes les 20 à 30 min en fonction du moment de la journée.

STM
☎ (514) 786 4636
www.stm.info
Pour obtenir des informations sur les horaires d'autobus.

AMT
☎ (514) 287 8726
www.amt.qc.ca
Pour obtenir des informations sur les horaires de trains.

Aéroport Pierre-Elliott-Trudeau
☎ (514) 394 7377
www.admtl.com

Formalités

Pour les citoyens français, belges ou suisses, il n'est pas nécessaire d'avoir un visa pour les séjours touristiques d'une durée de six mois maximum (votre billet de retour pourra vous être demandé comme preuve de bonne foi). Vous aurez, en revanche, besoin d'un passeport valide (et valable encore un jour après votre retour) et il vous faudra aussi remplir un formulaire que vous devrez remettre, une fois sur place, aux agents d'immigration (pensez à avoir l'adresse de votre hôtel à portée de main, elle vous sera demandée). Si vous souhaitez vous rendre à Montréal pour y étudier ou pour y travailler, consulter le site internet de l'ambassade (voir p. 8) afin de vous informer de toutes les démarches préalables nécessaires à votre entrée.

Douane

De façon générale, évitez les denrées périssables, la loi canadienne étant très pointilleuse à ce sujet.
Pour toute information supplémentaire, n'hésitez pas à contacter les services de douane :
Agence des services frontaliers du Canada (ASFC)
www.cbsa-asfc.gc.ca

Santé

Aucun vaccin n'est exigé.
Si vous suivez un traitement

spécifique, pensez à emporter avec vous les médicaments dont vous aurez besoin car vous n'êtes pas assuré de trouver les mêmes une fois sur place. Attention, les frais de santé sont bien plus élevés qu'en France, particulièrement les frais d'hôpital. De ce fait, si vous le jugez utile, vous pouvez contracter une assurance voyage avant votre départ. Renseignez-vous auprès de votre banque car la plupart des cartes bancaires en proposent une.

Monnaie

La devise légale est le dollar canadien qui se divise en 100 cents. Il existe des coupures de 5, 10, 20, 50, 100 et 1 000 dollars ; des pièces de 1, 5, 10 et 25 cents et de 1 et 2 dollars. Attention, ne confondez pas le dollar canadien avec le dollar américain, ils n'ont pas la même valeur. Pensez à avoir de l'argent liquide avec vous dès votre arrivée, afin de payer votre course de taxi ou votre billet d'autobus. Les taux de change étant très fluctuants ces dernières années, nous vous conseillons de vous renseigner auprès d'un bureau de change sur les cours pratiqués au moment de votre départ. À titre indicatif, au moment de la rédaction de ce guide, le taux de change était le suivant :
1 € = 1,38 $CAN et
1 $CAN = 0,72 euros
ou plus simplement, 20 $ representaient 14,48 €.
Pour plus de détails sur les taux et les bureaux de change, reportez-vous p. 39.

Budget

Le taux de change pratiqué au moment de votre séjour influera bien évidemment sur votre budget. Cela étant, il existe un grand nombre de restaurants proposant d'excellentes formules bon marché pouvant s'adapter sans mal à toutes les bourses. Votre budget quotidien variera également en fonction de la catégorie d'hôtel que vous avez choisie, mais en enlevant les frais d'hébergement, un minimum de 80 $ par jour (soit environ 60 € au moment de la rédaction de ce guide) devrait déjà vous permettre de passer une bonne journée dans la ville (hors shopping bien entendu…).

Décalage horaire

Il y a 6 heures de décalage horaire avec le Québec. Quand il est 17h en France, il est 11h du matin à Montréal. Les passages à l'heure d'hiver et d'été sont calés sur ceux des États-Unis : l'heure d'été s'applique le 2e dimanche de mars et l'heure d'hiver le 1er dimanche de novembre.

JOURS FÉRIÉS

Les banques, les bureaux gouvernementaux et quelques entreprises privées sont fermés les jours de congés suivants :
Jour de l'an
Vendredi saint
Lundi de Pâques
Journée nationale des Patriotes (le lundi précédant le 25 mai)
Saint-Jean-Baptiste ou fête nationale du Québec (24 juin)
Fête du Canada (1er juillet)
Fête du Travail (1er lundi de septembre)
Action de Grâces (2e lundi d'octobre)
Noël (25 décembre).
Sachez que, même s'il ne s'agit pas de jours fériés, beaucoup de magasins sont fermés le 26 décembre au matin et le 2 janvier toute la journée.

De Ville-Marie à Montréal, histoire d'une ville

Comme toutes les grandes métropoles d'Amérique du Nord, Montréal a été bâtie par les différentes communautés d'immigrants qui s'y sont installées au fil des siècles. Mais elle est une des rares villes à avoir su préserver l'histoire et l'identité de chacun.

La création de Ville-Marie

Le 17 mai 1642, une colonie missionnaire française d'une cinquantaine de pionniers, menée par Paul Chomedey, sieur de Maisonneuve, et dont le but est de convertir les Amérindiens au catholicisme, fonde Ville-Marie. Bien que l'évangélisation des autochtones tourne vite à l'échec, de nombreuses communautés religieuses s'établissent sur l'île et, dès 1666, les sulpiciens en deviennent les nouveaux seigneurs. Six ans plus tard, les premières rues de la ville, rebaptisée « Montréal » en 1685, se dessinent. Elle devient alors un pôle stratégique pour le négoce de la fourrure et une véritable base militaire pour les expéditions contre les colonies anglaises et leurs alliés iroquois. Une muraille de fortifications sera d'ailleurs construite autour de la ville entre 1717 et 1744. Malgré cela, et suite à la guerre de Sept Ans qui a sévi en Europe, la France signe le traité de Paris en 1763, cédant ses terres canadiennes à l'Angleterre.

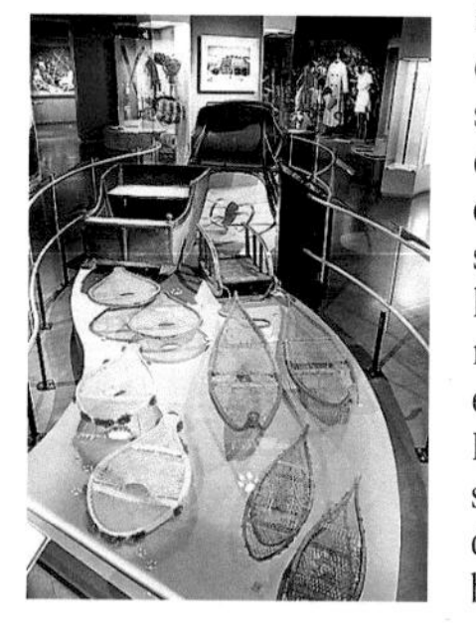

Le régime anglais

Dès lors, l'organisation de la ville change de visage.

Les citoyens de langue française seront exclus des grandes décisions jusqu'en 1774 et ce sont des entrepreneurs anglophones qui prennent le contrôle des réseaux commerciaux et financiers. Plusieurs petites compagnies de traite de fourrures fusionnent en 1779 pour devenir la Compagnie du Nord-Ouest, qui détiendra, 25 ans plus tard, le monopole du commerce à Montréal avant de fusionner à son tour en 1821, avec la Compagnie de la Baie d'Hudson, toujours en activité aujourd'hui ! Les fortifications commencent à être démolies dès 1804. La ville s'agrandit et de nouvelles rues se forment. La population évolue avec une arrivée massive d'immigrants en provenance des colonies britanniques, notamment d'Irlande. Entre 1815 et 1850, Montréal, devenue en majorité anglophone, est considérée comme la principale ville de l'Amérique du Nord britannique.

Une industrialisation de plus en plus forte

À la fin du XIXe s., la société montréalaise est nettement dominée par la bourgeoisie anglo-écossaise. L'apparition de prestigieux édifices de style victorien en témoigne (voir p. 18). L'aménagement de la ville évolue à grands pas avec l'émergence de quartiers bourgeois, industriels et ouvriers bien distincts, ainsi que la naissance des premiers gratte-ciel. Le canal de Lachine est agrandi dès 1840 (voir p. 70) et la compagnie de chemin de fer Canadien Pacifique est créée en 1881. Ces grands travaux, nécessitant une forte main-d'œuvre, déclenchent un exode rural massif des Canadiens-Français qui renversera bientôt l'équilibre linguistique de la ville (voir p. 16). Entre 1900 et 1950, Montréal, grâce à son réseau de transport ferroviaire et maritime de premier ordre, devient la principale agglomération industrielle du pays et également le principal centre financier.

LA RÉVOLUTION TRANQUILLE

Dans les années 1960, Montréal, et plus généralement le Québec, subissent un changement radical. Le Parti libéral remporte les élections, redonnant à l'élite francophone les pouvoirs économique, politique, financier et culturel. L'autre bouleversement notoire concerne la séparation de l'Église et de l'État rendant désormais laïques l'éducation, la fonction publique, la santé et les affaires sociales. Mais ces mesures font naître de vives tensions qui aboutiront à l'adoption de la loi 101 (voir p. 17). Parallèlement, la ville se modernise avec la naissance du métro et de la ville intérieure (voir p. 32-33) ainsi que la construction des gratte-ciel contemporains. De grands événements spectaculaires comme l'Exposition universelle de 1967 ou les Jeux olympiques de 1976 ont également largement contribué à son développement urbain et économique, et ont pu confirmer sa position de grande métropole à l'échelle internationale.

Une métropole verte

Avec plus de 450 000 arbres sur son territoire, dont plus de un tiers borde les rues, Montréal mérite largement son statut de ville verte. C'est une véritable volonté politique de la ville que de préserver, aménager et embellir ses espaces verts tout comme sa voie publique. Une belle façon de démontrer que la vie citadine peut rester proche de la nature…

Les grands parcs

Indissociable du paysage montréalais, le parc du Mont-Royal, installé sur cette majestueuse « montagne » du centre-ville est, sans aucun doute, le plus prestigieux des parcs de Montréal (voir p. 66 et 83). D'une superficie de 100 ha, il renferme plus de 150 espèces d'oiseaux et environ 700 espèces végétales, avec une majorité de frênes blancs, d'érables à sucre et de chênes rouges. Sa situation en pente lui permet d'offrir de merveilleux points de vue sur la ville. Étendu sur deux îles, d'une superficie totale de 221 ha, le parc Jean-Drapeau est une oasis de verdure au beau milieu du fleuve Saint-Laurent (voir p. 74). Au-delà des nombreux sentiers de randonnée qui sillonnent ce parc, les jardins et les canaux des Floralies forment une des plus belles promenades de ce joyau insulaire ! Moins démesuré mais tout aussi agréable, le parc La Fontaine est un magnifique havre de paix en plein cœur du Plateau (voir p. 61).

Le Jardin botanique

Installé au sein du parc Maisonneuve, le Jardin botanique de Montréal compte parmi les plus vastes et les plus beaux du monde. En plus de ses magnifiques serres d'expositions et de ses nombreux jardins thématiques (voir p. 72 et 82), il possède une végétation luxuriante. Plus de la moitié de sa superficie constitue l'Arboretum, une véritable forêt au cœur de la ville comprenant 7 000 espèces d'arbres et d'arbustes répartis en 45 collections. Les amateurs

de parcours boisés apprécieront également le jardin des Premières Nations dont l'objectif est de présenter les rapports qu'entretenaient et qu'entretiennent toujours les Amérindiens et les Inuits avec le monde végétal. Trois types d'habitat sont représentés, la forêt de conifères, la forêt de feuillus et le territoire nordique.

Jardins et espaces verts

Aux côtés de ces formidables centres d'intérêt, Montréal compte une multitude de petits jardins et d'espaces verts au sein de son agglomération. Parmi ceux-ci, le ravissant jardin du Gouverneur, situé à l'arrière du château Ramezay (voir p. 42). Comprenant un potager, un verger et un jardin ornemental, il forme, avec le petit parc aménagé le long du Vieux-Port, les plus beaux coins de verdure du Vieux-Montréal. Le quartier d'Outremont est sans doute un des plus riches en espaces verts (voir p. 64). Avec ses nombreux parcs, le boisement exceptionnel de ses rues et la proximité de l'impressionnant jardin du cimetière Mont-Royal (voir p. 67), il offre de magnifiques promenades !

Pour ceux qui souhaiteraient revenir à quelque chose de plus cérébral, le jardin d'architecture du CCA raconte la mémoire de la ville. Un bon compromis entre nature et culture… (voir p. 19).

Une ville en fleurs

À partir du mois de mai, Montréal revêt ses plus beaux habits. La ville possède de nombreuses serres où sont cultivées plus de 1,2 million de fleurs. Sur ce chiffre, 500 000 d'entre elles sont offertes gratuitement aux habitants pour leur permettre de fleurir leurs balcons et leurs parterres ! Il faut se promener dans les rues du Plateau Mont-Royal pour admirer ce paysage chatoyant. Avec le reste, des jardiniers paysagistes ont pour mission d'embellir la cité et ce sont de véritables sculptures florales qui ornent les trottoirs. En général, la fontaine située sur le parvis de l'hôtel de ville en est un bel exemple ! C'est ainsi que, jusqu'à ce que l'hiver en décide autrement, Montréal se dote de couleurs et de parfums la rendant gaie et festive.

LES JARDINS COMMUNAUTAIRES

Pour 10 $ par an, les Montréalais peuvent devenir locataire d'un jardinet de 3 m sur 6. Afin de respecter des normes esthétiques, ils doivent y planter 75 % de légumes et 25 % de fleurs et/ou de fines herbes et/ou de petits fruits. Il existe 98 jardins communautaires ou 8 200 jardinets répartis sur toute l'île de Montréal. Les citoyens prennent ce loisir très au sérieux d'autant que, chaque année, la ville organise un concours récompensant le « Grand Jardinier Montréalais » !

Bilingue, cosmopolite et multiculturelle

Le drapeau de Montréal – affichant le lys français, la rose anglaise, le chardon écossais et le trèfle irlandais – est un immense symbole, car c'est cette mixité culturelle qui fait l'âme de la ville et lui donne toute sa richesse. Bilingue et cosmopolite, Montréal est une ville aux multiples visages dont le patchwork ethnique constitue sa grandeur et sa spécificité.

Le français

Même si le français demeure la langue officielle du Québec, il n'aura pas toujours été facile, pour les Québécois d'origine francophone, d'imposer leur langue. Avec l'instauration du régime anglais en 1763 et les années de transition qui ont suivi, les Canadiens-Français deviennent minoritaires et la pratique de leur langue s'estompe peu à peu. Ce n'est qu'à la fin du XIXe s., grâce à un exode rural massif et aux différents courants d'immigration, que l'équilibre linguistique de la ville se renverse à nouveau. D'après le recensement de la population effectué en 2006, les francophones représentent 53,6 % de la population de la ville de Montréal. Géographiquement, bien qu'il n'y ait aucune délimitation clairement définie ou imposée, ils continuent d'être majoritaires à l'est du boulevard Saint-Laurent avec, comme fief culturel, le Quartier latin (voir p. 58).

Les anglophones

Minoritaires au Québec mais majoritaires au Canada, les anglophones de Montréal ont un sentiment d'appartenance très ambigu et beaucoup vous diront

qu'ils se sentent plus canadiens que québécois. Et pourtant, Montréal perdrait de son identité si elle était dépourvue de sa communauté anglophone ! Regroupée essentiellement à l'ouest de la ville, elle est installée dans de prestigieux quartiers, comme celui de Westmount (voir p. 68) ou du Mille Carré Doré (voir p. 52). C'est dans ce secteur que s'étaient établis, au cours du XIXe s., les riches commerçants anglais et écossais qui ont contribué au développement économique de la ville. Aujourd'hui, malgré une politique qui tend à protéger et imposer la langue française, les anglophones restent présents sans renoncer ni à leur langue, ni à leur identité.

Deux cultures ?

C'est cette mixité culturelle qui offre à Montréal sa singularité et, il faut bien l'admettre, certains avantages : 54 % de la population est totalement bilingue ! Mais cette cohabitation de deux langues a parfois fait jaillir quelques tensions.
Se considérant de fait l'un et l'autre comme des minorités, anglophones et francophones vivent avec la même crainte, celle de disparaître.
Et pourtant, la ville abrite deux universités françaises et deux universités anglaises, propose quatre chaînes de télévision publique (deux en anglais, deux en français), ainsi qu'une multitude de journaux et de magazines dans les deux langues. N'est-ce pas la preuve de la coexistence et du respect de ces deux groupes comme partie intégrante de l'identité montréalaise ?

Les communautés ethniques

Cette mosaïque culturelle ne s'arrête pas là car il faut prendre en compte toutes les autres plus petites communautés ethniques. La plus nombreuse est la communauté italienne, mais il y a aussi les autres langues parlées à la maison ; avec, par ordre décroissant : l'arabe, l'espagnol, le chinois, les langues créoles, le grec, le portugais et le vietnamien, sans oublier l'importante communauté juive orthodoxe. Ainsi, chaque groupe contribue à la diversité et à l'effervescence du paysage urbain : la Petite Italie regorge de produits méditerranéens (voir p. 62) tandis que le quartier chinois compte parmi les plus exotiques et colorés (voir p. 55), enfin, les Portugais détiennent de nombreux cafés et restaurants autour de la rue Duluth.

Ce tableau pluri-ethnique est incontestablement une des plus belles richesses de la ville !

LA LOI 101

En 1969, la révolte, menée par des nationalistes s'alarmant de l'anglicisation des nouveaux immigrants, gronde. Le 26 août 1977, le Parti québécois met en place la loi 101 instaurant le français comme langue de travail, du commerce et des affaires. Elle impose aux nouveaux immigrants, dont aucun parent n'a étudié en anglais au Canada, de s'inscrire dans une école française. Cette charte québécoise, toujours en application, a constitué une affirmation linguistique sans précédent.

Une architecture à l'image de la ville

Certains se sentiront désorientés face à l'anarchie architecturale qui règne ici. D'autres, au contraire, y trouveront un charme spécifique, percevant, au travers de cette mixité des styles, l'histoire et l'âme de la ville. Montréal possède un paysage urbain riche et éclectique, véritable reflet des peuples qui l'ont construite et des différentes cultures qui l'animent.

La vieille ville

Déclaré arrondissement historique en 1964 par le gouvernement du Québec, ce petit périmètre de seulement 1 km², respectant le tracé de l'ancienne ville fortifiée, renferme un patrimoine architectural unique. Les maisons en pierre et les rues pavées lui confèrent une atmosphère de village !

La plus vieille demeure remonte à 1684. Il s'agit du Vieux-Séminaire situé au 130, rue Notre-Dame Ouest. Cependant, la majorité des bâtiments date du XIXe s. et, bien que se côtoient des styles variés, le Vieux-Montréal possède une certaine harmonie architecturale due à l'opacité des bâtiments, l'absence de fioritures ou de verdure et l'étroitesse des rues.
Les constructions établies entre 1800 et 1850 font preuve d'un néoclassicisme très sobre, d'inspiration britannique.
Les années 1850-1880 voient apparaître de nouveaux édifices de style victorien plus imposants et plus prestigieux. Ils comptent désormais quatre étages et accordent davantage d'espace aux fenêtres.
Les immeubles situés entre les nos 451 et 457 de la rue Saint-Pierre en sont de bons exemples.

Gratte-ciel et modernisme

Si le Vieux-Montréal a conservé une sobriété exemplaire, le centre des affaires quant à lui fait preuve de modernisme et d'exubérance avec un panorama tout en hauteur si typique de l'Amérique du Nord ! C'est au début des années 1960 qu'apparaissent les premiers gratte-ciel contemporains avec la place Ville-Marie inaugurée en 1962 (voir p. 33 et 48). Depuis, de nombreuses tours de verre ultramodernes se sont implantées dans le paysage urbain comme la tour IBM-Marathon (1250, bd René-Lévesque Ouest), la tour BNP (1981, av. McGill College) ou encore la célèbre tour 1000 De la Gauchetière, un gratte-ciel de 51 étages, achevé en 1992 et atteignant la hauteur maximale autorisée par la ville, soit 233 mètres. Cela correspond au point culminant du parc du Mont-Royal. Enserré entre le centre-ville et le Vieux-Montréal, le récent aménagement du quartier international fait également place à des constructions modernes, originales et audacieuses comme la Caisse de dépôts et de placements, le Centre de Commerce mondial ou le récent palais des Congrès (voir p. 47) dont l'immense façade de verre coloré attire grandement l'œil !

Un paysage hétéroclite

En dehors de sa « ville ancienne » et de sa « ville moderne », Montréal multiplie les visages au gré de ses rues. Chaque quartier affiche sa particularité : Westmount et ses

somptueuses demeures de style anglais (voir p. 68), le quartier chinois avec ses arches et ses pagodes (voir p. 55) ou le Plateau Mont-Royal et ses célèbres triplex aux escaliers extérieurs qui contribuent beaucoup à l'identité architecturale de la ville (voir p. 60 et 84). L'héritage anglo-saxon est aussi très perceptible avec notamment les petites maisons de brique ou de pierres colorées dont l'accès principal est surélevé, et dont les ornementations extérieures forment de véritables éléments de décor (tourelles, corniches, frontons, pignons…). C'est le cas du sublime square Saint-Louis (voir p. 59).
Le patrimoine religieux participe aussi à la beauté et à la diversité de l'aménagement paysager. Bien que plusieurs édifices aient été démolis, on dénombre aujourd'hui, répartis sur toute l'île, plus de 500 églises, temples et mosquées. Parmi les plus prestigieux, la basilique Notre-Dame (voir p. 46 et 87) et l'oratoire Saint-Joseph (voir p. 67 et 78) sont à découvrir.

LE CENTRE CANADIEN D'ARCHITECTURE (CCA)

Inauguré en 1989, le CCA est à la fois un musée (dont les expositions sont temporaires) et un centre de recherche sur l'architecture. La bibliothèque comprend l'une des plus grandes collections de publications et de documents sur le design architectural au monde. Le bâtiment enserre la maison Shaughnessy, construite en 1874, véritable vestige des demeures bourgeoises occupant jadis le quartier.

1920, rue Baile (B3-4)
M° Guy-Concordia
☎ (514) 939 7026 – www.cca.qc.ca
Mer.-dim. 11h-18h, jeu. 11h-21h (gratuit jeu. dès 17h30).

Au fil des saisons

Montréal possède un été chaud ainsi qu'un hiver glacial dont la durée et l'intensité témoignent de la proximité du Grand Nord. Aux côtés de ces climats extrêmes, l'automne et le printemps ne sont que de courts tremplins permettant d'annoncer l'arrivée d'une nouvelle saison.

Printemps

Après de longs mois d'hiver, le printemps est accueilli comme un véritable cadeau ! Même s'il faut attendre le mois de mai pour voir le thermomètre remonter, tout le monde sait que l'hiver va enfin s'achever. L'arrivée de cette nouvelle saison se célèbre avec le temps des sucres (voir p. 22). Dès qu'ils le peuvent, les Montréalais se ruent dans les cabanes à sucre pour s'adonner avec plaisir aux joies de la gourmandise. Pendant ce temps, les rues de la ville demeurent couvertes de *slush*, cette vieille neige devenue noire et boueuse qui laisse entrevoir, une fois fondue, les dégâts causés par l'intensité de l'hiver sur les routes. À l'arrivée du mois de mai, la nature renaît, la chaleur s'installe et les habitants deviennent euphoriques… Voilà l'été !

Été

Comme en réponse à l'enfermement imposé par la rudesse de l'hiver, en été, on vit dehors ! Les tenues sont légères, les gens se contemplent, se retrouvent aux terrasses des cafés ou dans un des nombreux parcs de la ville pour d'agréables moments de partage et de détente. Montréal est une ville verte et fleurie (voir p. 14) et c'est un véritable plaisir d'arpenter les rues du Plateau ou de flâner sur les îles du parc Jean-Drapeau. La ville met tout en place pour profiter au maximum de cette saison avec quantité de festivals et d'événements en plein air (voir p. 4 et 24). Les Montréalais aiment faire la fête et les foules envahissent s rues jusque tard le soir notamment pendant le estival de Jazz !). Les mois e juillet et d'août peuvent tre étouffants et humides nais qu'importe, on sait que a belle saison est trop courte our s'en plaindre. Le mois e septembre est fort agréable t, même si le travail a repris, es journées restent propices l'enchantement.

Automne

ette saison existe-t-elle raiment ? Il n'est pas rare ue les températures restent stivales jusqu'en octobre, 'est ce que l'on appelle l'été ndien. Puis, quasiment d'un our à l'autre, les premières raîcheurs, accompagnées de gelées nocturnes, se font sentir. L'hiver n'est plus très loin. Fin septembre est le moment de se balader dans les parcs et forêts pour découvrir le merveilleux paysage offert par la nature. Les arbres adoptent des tons de jaunes, rouges et orangés absolument magnifiques : un tableau typique de l'Amérique du Nord ! Dès la fin octobre, les feuilles ont disparu et il est temps de se préparer pour les mois à venir…

Hiver

À la fois adoré et haï, l'hiver est la saison la plus rigoureuse du calendrier. De novembre à mars, le froid s'empare de la ville et les nombreuses tempêtes de neige, qui ont lieu entre les mois de décembre et de mars (voire avril), conditionnent la vie de ses habitants. On estime à 65 millions de dollars le budget annuel de déneigement comprenant 4 700 km de chaussées et 6 400 km de trottoirs (en comptant la totalité de l'île) ! Plus qu'un simple mode de vie, c'est une véritable industrie qui doit se mettre en place. Mais ce qui caractérise indéniablement l'hiver montréalais est l'ensoleillement ! Le ciel est bleu, les rayons du soleil se réverbèrent sur la neige et l'air est vivifiant. Malgré les basses températures (pouvant atteindre les -30 °C), les Montréalais n'hésitent pas à profiter des joies du plein air. Skier au Mont-Royal ou s'adonner au patin à glace sont des activités incontournables en cette saison (voir p. 27). Et lorsque le vent devient trop violent, faisant surgir le phénomène de « poudrerie » (une masse de neige est soulevée provoquant un véritable tourbillon dans les airs), il est toujours temps de se réfugier dans la ville souterraine pour retrouver la chaleur et renouer avec le plaisir du « magasinage » (voir p. 32).

ÇA DÉMÉNAGE !

S'il existe un rituel saisonnier original, c'est bien la Journée du déménagement ! Afin de préserver le rythme scolaire des enfants et de leur laisser le temps de s'acclimater à leur nouveau quartier avant leur prochaine rentrée scolaire, le gouvernement du Québec a décidé que tous les baux de location débuteraient le 1er juillet. Du coup, durant cette journée qui est également la fête du Canada, 250 000 foyers déménagent, donnant un charme hautement pittoresque aux rues de Montréal !

L'érable
ou l'histoire d'un emblème

Si la feuille d'érable est devenue l'emblème du drapeau canadien, ce n'est pas un hasard ! Obtenu à partir de la sève de cet arbre majestueux, le sirop d'érable, dont l'élaboration remonte à plusieurs siècles, est ancré dans la culture québécoise. Utilisé quotidiennement en cuisine, sa fabrication est bien plus qu'un art. C'est devenu une véritable fête traditionnelle célébrant l'arrivée du printemps et l'éclosion de la nature !

La petite histoire

L'érable à sucre, ou érable rouge, est une variété spécifique de l'Amérique du Nord pouvant atteindre jusqu'à 40 mètres de hauteur. Ce sont les Amérindiens qui ont découvert en premier les propriétés comestibles de sa sève, et c'est grâce à leur ingéniosité que les premiers colons français ont appris les techniques de collecte de cette eau sucrée. Véritable source de sucre pur, il ne faudra pas attendre bien longtemps pour que la qualité de ce breuvage se transforme en industrie. Aujourd'hui, 80 % de la production mondiale de sirop d'érable provient du Québec.

Le temps des sucres

Réparti sur les mois de mars et d'avril, le temps des sucres est un véritable rituel saisonnier. En plus d'annoncer l'élaboration d'une quantité de gourmandises, il marque (enfin !) la fin de l'hiver. Pour récolter la sève, l'acériculteur perce le tronc de l'arbre et y incorpore un petit chalumeau métallique auquel on suspend un seau. Grâce au dégel, la sève, jusque-là glacée par l'hiver, se liquéfie pour couler lentement dans celui-ci. Il en faudra 40 litres pour fabriquer seulement un litre de sirop ! C'est au sein de la traditionnelle cabane à sucre qu'une fois recueillie, cette eau sucrée est portée à ébullition pour se transformer en un sirop incroyablement parfumé.

Place à la fête...

Une célébration n'en serait pas une sans fête ! Du coup, le

temps des sucres est également synonyme de « temps des festins ». Les cabanes à sucre deviennent de hauts lieux de dégustation avec le fameux menu traditionnel composé de soupe aux pois, oreilles de crisse, saucisses, tourtière, jambon glacé à l'érable, pommes de terre, omelette, fèves au lard, crêpes (accompagnées, bien sûr, de sirop d'érable), ketchups aux fruits (voir p. 29) et tartes au sucre ! Bref, un repas relativement copieux qui permet à tout gourmand de « se sucrer le bec ». Et pour ne pas faire de malheureux, la Sucrerie de la Montagne organise ce type de festin tout au long de l'année (voir p. 76).

Sirop, beurre, sucre ou tire ?

Même si la renommée du sirop n'est plus à faire, sachez que la production issue des érablières ne s'arrête pas là. En fonction du degré d'ébullition auquel la sève sera portée, elle pourra être transformée en sirop, en beurre, en sucre ou en irrésistible tire d'érable ! Obtenue après une nouvelle cuisson du sirop, la tire devient une substance épaisse assez semblable au miel. Elle est alors déposée sur la neige puis recueillie à l'aide d'un bâtonnet. Il s'agit de la friandise sans doute la plus appréciée de ce temps de fête... Le beurre d'érable, quant à lui, est une délicieuse pâte à tartiner et le sucre possède un parfum subtil. Enfin, sachez qu'il existe plusieurs variétés de sirop : clair, extra-clair, médium ou ambré. Mais les différences ne peuvent se ressentir que si l'on possède déjà un palais averti.

UNE CABANE À SUCRE AU CŒUR DU VIEUX-PORT

Certes elle est moins authentique que la traditionnelle cabane au mileu des bois (c'est un hangar du Vieux-Port qui a été aménagé pour l'occasion) mais elle a l'avantage de faire découvrir une nouvelle façon de célébrer ce temps des fêtes en proposant des créations culinaires respectueuses de la tradition agrémentées d'un zeste de modernité. De quoi se sucrer le bec pour la journée !

Scena, Pavillon Jacques-Cartier – Quais du Vieux-Port (I8)
☎ (514) 914 9661 - www.lacabane.ca
Mars-Avril : mar.-mer. 18h30 (uniquement sur résa.), jeu.-ven. 18h30, sam. 11h30, 17h30 et 20h, dim. 11h30
Bar : mar.-sam. 17h-minuit.

Fêtes et festivals

Considérée à juste titre comme une ville de festivals, Montréal vit au rythme de ses multiples manifestations. Au-delà de leurs dimensions culturelles et festives, elles font preuve d'une organisation exemplaire, mettant en place des infrastructures colossales ! Les Montréalais aiment et savent faire la fête, et la ville le leur rend bien.

Une ville en pleine effervescence

Avec une cinquantaine de festivals de renommée internationale et de nombreux événements locaux, Montréal se place largement parmi les villes les plus festives du monde ! La majeure partie de ces grandes manifestations se déroule entre mai et octobre, et nombreuses sont celles qui ont lieu en plein air. Cela s'explique par la volonté de ses habitants de vouloir profiter au maximum des belles et longues journées d'été, mais aussi grâce à la politique de la ville qui permet aux organisateurs de festivals d'investir les rues gratuitement. Du coup, aux côtés de manifestations de grande envergure, les rues s'animent de multiples ventes de trottoir (voir p. 103) et autres rassemblements culturels et festifs comme les célèbres « Frénésies de la Main » qui ont lieu tous les ans,

le long du boulevard Saint-Laurent, en juin et en août.

Jazz

Incontestablement, le Festival international de Jazz est l'élément phare de l'été ! La place des Arts et ses alentours sont entièrement réquisitionnés pour accueillir le village et dix scènes extérieures ! La programmation est impressionnante avec une quarantaine de concerts par jour dont près des deux tiers sont gratuits. Même si le jazz y règne en maître, avec les meilleurs artistes du moment, le Festival reçoit également des groupes issus d'autres univers musicaux comme le funk ou la musique du monde. De midi à minuit, parfois plus, les Montréalais vivent dehors et le centre-ville est en fête…

Humour

Au mois de juillet, à peine le Festival de Jazz est-il terminé que l'humour s'empare des rues. À quelques mètres de la place des Arts, autour de la rue Saint-Denis, de nouvelles scènes se montent pour accueillir, cette fois, le festival Juste pour rire et les humoristes les plus talentueux du moment pour 10 jours de rigolade décapante. Plus de 500 spectacles sont présentés en salle et environ 1 600 en extérieur avec des pièces de théâtre, mais aussi des animations ludiques pour le plus grand bonheur des enfants ! Autant dire que la fête bat son plein.

Montréal en lumière

Même si l'été demeure la principale période festivalière, l'hiver possède aussi sa grande manifestation avec le festival Montréal en lumière. Durant dix jours, fin février-début mars, la ville s'anime avec des concerts et divers spectacles (dont certains sont en plein air !) regroupant danse, théâtre, acrobaties et une nuit blanche. Sont également au programme de nombreux rassemblements culinaires ainsi que de formidables feux d'artifice. Qui a dit que l'hiver était une saison triste ?

UN QUARTIER EN PLEINE EXPANSION

Situé aux alentours de la place des Arts, le quartier des spectacles (voir p. 54) couvre aujourd'hui un territoire d'environ un kilomètre carré regroupant pas moins de 30 salles de spectacles. Durant la période estivale, cinq millions de festivaliers s'y retrouvent pour profiter de sa riche programmation. Depuis quelques années, ce quartier subit de nombreux travaux d'aménagement afin d'augmenter ses espaces culturels et d'en faire une destination en soi. Parmi les divers projets réalisés ou à venir, il est à noter la Maison du Festival de Jazz (voir p. 55), le Parterre (amphithéâtre naturel situé sur la rue St-Urbain) ou la somptueuse salle de concert qui sera destinée à l'orchestre symphonique de Montréal et située sur l'esplanade sud-est de la place des Arts. Attendons-nous à ce que les fêtes et festivals de la ville deviennent encore plus grandioses !

Le sport, un art de vivre

En Amérique du Nord, le sport, que les enfants pratiquent dès leur plus jeune âge, fait partie intégrante du quotidien. C'est une discipline valorisée. Le sport est vécu à la fois comme un loisir et un réel facteur de bien-être. À Montréal, le rapport avec la nature est très présent, ce qui permet de pratiquer, tout au long de l'année, des activités de plein air.

Le vélo et les plaisirs de l'été

Plus qu'un simple loisir, le vélo est un véritable moyen de transport. Durant la belle saison, on estime à environ 150 000 le nombre d'utilisateurs de vélo (ils sont même 50 000 en hiver !). Cela n'est pas étonnant quand on sait qu'il existe 400 km de pistes cyclables sur l'île de Montréal auxquelles sont d'ailleurs reliés les grands parcs de la ville ! Sachez que la promenade du Vieux-Port et les berges du canal de Lachine, d'une longueur de 15 km, constituent une des plus agréables balades. Ces sentiers aménagés font également le bonheur des amateurs de patins à roues alignées (entendez rollers). La situation de la ville permet aussi de profiter des plaisirs nautiques. Au parc Jean-Drapeau, on trouve une plage de sable fin et un complexe de piscines extérieures. Le bassin olympique de l'île Notre-Dame offre la possibilité de pratiquer kayak, planche à voile ou embarcation à pédales (également praticable au Vieux-Port). Quant aux rapides de Lachine, ils offrent quelques descentes en rafting des plus rafraîchissantes.

Ski et patins à glace

L'hiver est froid et enneigé ? Alors autant en profiter… Les vélos sont troqués contre skis et patins pour quelques mois de glissade bien appréciés ! Et par chance, il n'est pas nécessaire d'aller bien loin pour s'adonner à son sport préféré. L'île de Montréal possède un domaine privilégié avec, entre autres, 900 patinoires en plein air et environ 700 km de pistes de ski de fond ! Le parc du Mont-Royal offre, à lui seul, 20 km de pistes de différents niveaux. Les autres grands parcs de la ville, tels La Fontaine ou Maisonneuve, deviennent également de

véritables bases sportives. Côté patinoire, la plus importante est sans nulle doute celle du bassin Bonsecours, située près du quai de l'Horloge au Vieux-Port. Les soirées y sont souvent musicales et l'ambiance détonante. Les amateurs d'atmosphère plus intimiste vont préférer patiner sur les lacs des parcs (comme le lac aux Castors du Mont-Royal) ou sur d'autres patinoires aménagées pour l'occasion par la ville. Bref, les Montréalais ont tout le loisir de pratiquer les sports d'hiver dès la sortie du bureau, et ils en profitent bien… D'ailleurs en centre-ville, la patinoire intérieure l'Atrium le 1000 De la Gauchetière, ouverte toute l'année, est très appréciée (1000, rue de la Gauchetière Ouest, ☎ (514) 395 0555).

Le hockey

Plus qu'un sport, le hockey sur glace est une véritable passion, voire un symbole national dont on se dispute même les origines ! Grâce aux nombreuses patinoires de la ville, les enfants sont habitués à pratiquer toute l'année le hockey. La ligue nationale professionnelle a été fondée en 1917 et compte aujourd'hui 30 équipes réparties sur toute l'Amérique du Nord. Le club de Montréal, les Canadiens, a connu de formidables heures de gloire qui continuent d'animer les passions et de faire la fierté de ses habitants. Certains joueurs comme Maurice Richard dit « le Rocket » sont devenus de véritables légendes. Les soirs de match sont très populaires. Les supporters de l'équipe montréalaise, qui ne possèdent pas de billets pour se rendre au stade, se retrouvent dans les bars sportifs comme Champs (3956, bd Saint-Laurent) ou Upper Deck (1433, rue Crescent) autour d'une Maudite. C'est une vraie tradition…

QUELQUES GRANDS RENDEZ-VOUS SPORTIFS

Mai-Juin
Feria du vélo – www.velo.qc.ca

Juin
Grand Prix du Canada
www.circuitgillesvilleneuve.ca

Août
Masters de tennis du Canada (coupe Rogers)
www.rogerscup.com
Réservation sur Internet.

Octobre-Avril
Championnat de hockey
www.canadiens.com
Les matchs ont lieu au Centre Bell (voir p. 140)
Réservation des places par Internet.

Saveurs québécoises

La cuisine montréalaise est à l'image de sa population... hétéroclite ! D'ailleurs, Montréal ne possède pas moins de 6 000 restaurants, alors autant dire qu'il y en a pour tous les goûts ! Certes, les palais de nos hôtes sont plutôt sucrés et, tels de bons vivants, ils ne cachent pas leur plaisir de la bonne chère ! Et même si certaines spécialités québécoises manquent parfois de finesse, la diversité et la qualité des produits du terroir sauront surprendre vos papilles...

Tradition et spécialités

Vous allez vite vous en rendre compte, les plats traditionnels québécois ne font pas dans la légèreté ! Riches et copieux, ils devaient permettre aux colons d'affronter la rudesse de l'hiver. Leurs noms évoquent déjà une certaine consistance... la tourtière (tourte à base de viande), le pâté chinois (hachis parmentier agrémenté de maïs), les cretons (sorte de rillettes aux variétés multiples), les oreilles de crisse (lanières de couenne frites), les fèves au lard, la soupe de pois ou encore, la poutine (pommes de terre frites recouvertes de fromage en grains et d'une sauce brune dont la composition reste un mystère...). Vous pourrez les déguster dans certains restaurants comme la Sucrerie de la Montagne (voir p. 76) ou le Cabaret du Roy (voir p. 43). Pour une version plus gourmet, le Pied de Cochon propose une délicieuse poutine au foie gras (voir p. 60) !

Le terroir

Ne croyez pas pour autant que le contenu de votre assiette manquera de raffinement. Vous serez d'ailleurs surpris par la saveur si goûteuse des fruits et des légumes de production locale. Pour vous laisser aller à cette gourmandise, rien de tel que de parcourir le marché Jean-Talon où l'on peut goûter

gracieusement une grande variété de produits (voir p. 62) ! Ce sera également l'occasion de découvrir quelques particularités locales comme les crosses de fougères ou « têtes de violon » (délicieuses en salade ou pour parfumer une sauce), la canneberge (son petit goût acide accompagne merveilleusement la célèbre dinde de Noël) ou les bleuets (comparables à de grosses myrtilles, très utilisés en pâtisserie). Quant au maïs, appelé aussi « blé d'Inde », il est incroyablement doux et sucré !

Bagel et viande fumée

Importées à Montréal au début du XXe s. grâce à l'immigration juive d'Europe de l'Est, ces deux spécialités comptent parmi les plus populaires de la ville ! Fabriqués manuellement, les bagels sont blanchis dans de l'eau bouillante contenant un peu de miel, avant d'être cuits au four à bois. Ils peuvent être nature ou aromatisés, le plus souvent aux graines de sésame ou de pavot (à déguster chez Fairmount Bagel, p. 65, ou Saint-Viateur Bagel, p. 121). Ne vous avisez surtout pas de dire que vous préférez ceux de leurs voisins américains, vous briseriez une amitié ! Le *smoked meat* ou viande fumée fait également la fierté des Montréalais. Elle se déguste nature ou en sandwich et, à en croire la file d'attente devant chez Schwartz's à l'heure du déjeuner, elle est devenue une véritable institution (voir p. 57) !

La bière

Bien qu'une récente étude tende à démontrer que les ventes de vin ont pris le dessus, les Montréalais ont toujours été de grands amateurs de bière. Et ils ne se contentent pas de la boire, ils la fabriquent aussi ! Les deux grandes brasseries du Québec, Molson et Labatt, ont été rejointes par de nombreuses brasseries artisanales appelées microbrasseries (voir p. 137). Elles élaborent sur place des bières aux saveurs subtiles et variées dont les plus populaires répondent aux noms de Maudite, Blanche de Chambly, Cap Tourmente, Fin du Monde, Saint-Ambroise ou Berlue. À l'apéro (le célèbre *happy hour*), devant un match de hockey ou autour d'une dégustation de fromages (si, si !), tout devient l'occasion de déguster ce breuvage entre amis.

LES KETCHUPS (OU *CATSUPS*) AUX FRUITS

Contrairement à ce que l'on pense, le ketchup n'est pas une invention américaine de Mr Heinz, mais tout simplement une sauce à saveur aigre-douce se mariant parfaitement à la viande grillée. À Montréal, le ketchup aux fruits est une véritable institution ! Toute famille qui se respecte prépare elle-même ses conserves en vue de l'année à venir. Les recettes sont très variées mais sont souvent à base de tomates-oignons-céleri, mélangés à un ou plusieurs fruits (pomme, pêche, poire...). Ce mélange sucré-salé est un véritable délice ! À défaut de le faire vous-même, vous pourrez en découvrir de nombreuses variétés au Marché des Saveurs du Québec (voir p. 62) ou sur les étals du stand de Serge Bourcier (voir p. 120).

Le cinéma

À l'exception de certains films à succès comme *Le Déclin de l'Empire américain*, *Les Invasions barbares*, ou plus récemment les petits bijoux du jeune réalisateur Xavier Dolan (*J'ai tué ma mère*, *Les Amours imaginaires*), le cinéma québécois est assez peu connu à l'étranger. Rien donc ne laissait présager que le septième art compterait parmi les activités économiques les plus florissantes de la ville. Et pourtant…

CINÉMATHÈQUE
QUÉBÉCOISE
335, boul. De Maisonneuve Est
MédiaSphère Bell
Centre NAD
Alliance numériQC
Phonothèque québécoise
Restaurant

Une véritable industrie

Dotée du plus grand complexe de studios de cinéma du Canada, Montréal se place parmi les principales villes nord-américaines en matière de réalisation de films. Plusieurs milliers de techniciens hautement qualifiés dans des domaines aussi variés que l'image, la construction de décors ou les effets spéciaux, travaillent quotidiennement pour cette industrie. La réputation de la ville en matière de cinéma n'étant plus à faire, les compagnies étrangères viennent de plus en plus y tourner leurs œuvres. C'est le cas de nombreux films américains dont *The Day After Tomorrow* de Roland Emmerich ou *The Terminal* de Steven Spielberg.

Des décors naturels

L'architecture de la ville lui permet de revêtir une grande palette de rôles ! Le Vieux-

FESTIVALS

Montréal n'aurait pu être considérée comme une ville de cinéma sans offrir de grands événements à son public. Avec près d'une vingtaine de festivals de films, dont certains d'envergure internationale, elle permet de découvrir un beau panorama du cinéma actuel. En dehors des grandes manifestations comme le Rendez-vous du cinéma québécois ou le festival des Films du monde (voir p. 4-5), Montréal accueille des événements plus ciblés comme le festival du Nouveau Cinéma (en octobre) dédié au cinéma d'auteur et à la création numérique, ou encore le festival international du Film sur l'art (en mars).
Renseignements :
www.nouveaucinema.ca – ☎ (514) 282 0004
www.artfifa.com – ☎ (514) 874 1637.

Montréal, avec son charme européen et ses bâtiments datant des XVIIIe et XIXe s., les gratte-ciel ultramodernes du centre-ville, typiques des grandes métropoles américaines, ou encore les nombreux parcs-nature, permettent à Montréal de se transformer selon les exigences d'un scénario. Elle devient New York ou Berlin pour *Confessions d'un homme dangereux*, Washington ou Moscou pour *The Sum of All Fears* ou encore New Delhi pour *The Day After Tomorrow* !

La technologie numérique

En 1986, le réalisateur Daniel Langlois marque le début d'une révolution de l'animation 3D en créant le logiciel Softimage. Depuis, grâce à la formidable passion des jeunes pour le multimédia, Montréal n'a cessé de voir naître des sociétés spécialisées dans le traitement de l'image numérique. Cela la propulse aujourd'hui au rang de leader mondial en matière de logiciels d'effets spéciaux ! C'est grâce à ces programmes québécois (Softimage, Discreet, Toon Boom Technologies, Kaydara ou Miranda) que des films comme *Titanic*, *Jurassic Park*, *Godzilla* ou *Matrix* ont vu le jour. Cette maîtrise de la haute technologie lui confère également un rôle important en matière de création de jeux vidéo.

Denys Arcand, « l'enfant prodige »

Digne représentant du cinéma québécois, Denys Arcand sait aborder des thèmes douloureux sans tomber dans une dramaturgie excessive, mais en y apportant humour et légèreté. Après avoir travaillé pour l'Office national du film du Canada, il réalise de nombreux longs métrages dont certains ont connu un succès international comme *Le Déclin de l'Empire américain*, *Jésus de Montréal* ou *Les Invasions barbares*. Ce dernier a reçu une véritable consécration en 2004 avec l'Oscar du meilleur film étranger, trois césars (meilleur film, meilleur scénario et meilleur réalisateur) et deux prix au Festival de Cannes l'année précédente ! Moins renommés à l'échelle internationale mais indissociables du cinéma québécois, les réalisateurs Gilles Carle et Claude Jutra ont tous deux signé de très belles œuvres (dont *Mon Oncle Antoine*) qu'il est possible de visionner à la CinéRobothèque (voir p. 59).

Ville souterraine – ville intérieure

Faisant partie des grandes curiosités de la ville, ce vaste réseau de galeries souterraines, intimement lié à l'identité de Montréal, a permis au centre-ville de préserver sa vitalité économique tout au long de l'année. Il est considéré comme le plus étendu du monde et atteste d'un aménagement urbain audacieux et fort bien réussi.

Ville souterraine ou ville intérieure ?

Il est judicieux de se poser la question. Par définition, une ville souterraine devrait être entièrement aménagée sous terre impliquant une absence de lumière naturelle et une éventuelle sensation d'enfermement. Or, il s'agit davantage ici d'un réseau ouvert sur l'extérieur dont environ la moitié des espaces se trouve en rez-de-chaussée ou en étage. Si cette configuration a souvent été appelée ville souterraine, c'est parce que ses nombreux centres commerciaux sont reliés les uns aux autres par de longs couloirs souterrains rattachés aux stations de métro. Ainsi, il est possible de traverser une bonne partie du centre-ville sans mettre un pied dehors ! C'est pour cette raison qu'aujourd'hui, certaines institutions préfèrent employer le terme, plus adapté, de ville intérieure.

La construction

L'élaboration de cette ville intérieure est indissociable de la construction du réseau métropolitain et de l'apparition des gratte-ciel modernes. Né d'un désir visionnaire de décupler la vitalité du centre-ville tout en tenant compte de la rigueur du climat, le début de l'aménagement souterrain démarre avec la construction de la Place Ville-Marie entre 1954 et 1962. Cette tour cruciforme de 47 étages va être dotée d'un immense centre commercial en sous-sol. Dès lors, une tranchée souterraine adjacente facilite la création d'un tunnel reliant ce centre à la gare centrale, marquant ainsi le début de la ville intérieure. Depuis, ce réseau n'a cessé de s'accroître avec aujourd'hui 33 km de couloirs souterrains rattachés à 10 stations de métro, 89 immeubles, 8 grands hôtels, 2 gares, 5 universités et 2 727 appartements !

Se repérer

Il n'existe pas moins de 178 accès pour pénétrer à l'intérieur de ce vaste réseau

piétonnier, signalés par de petits panneaux indiquant RÉSO avec une flèche pointée vers le bas. Si vous les manquez, vous pouvez y entrer par l'intermédiaire des stations de métro concernées (Peel, McGill, Bonaventure, Place-d'Armes…) ou par les centres commerciaux possédant une ouverture directe sur la rue comme le Complexe Desjardins, le Centre Eaton ou même le Centre de Commerce mondial. Essayez de vous procurer un plan de la ville intérieure auprès de l'office du tourisme. Cela étant, il est très facile de se perdre une fois sous terre ! Les panneaux de direction ne mentionnent pas les rues mais les noms des galeries et immeubles reliés à ce réseau. Il est donc indispensable de les connaître pour s'y retrouver. Mais après une ou deux fausses manœuvres, vous vous accoutumerez sans mal à cette formidable ville tentaculaire.

La Mecque du « magasinage »

Et pour cause… vous êtes au paradis du shopping ! Il faudra vous perdre des jours entiers pour arriver à bout des plus de mille magasins de la ville intérieure ! Il est bel et bien fini le temps où la pluie, la neige, le blizzard ou la chaleur caniculaire de l'été pouvaient être des entraves aux joies du lèche-vitrines. Montréal peut désormais se vanter d'avoir maîtrisé son climat et renforcé son activité commerciale. Vous trouverez également nombre de cafés et comptoirs de restauration. Le Centre Eaton est le plus vaste de ces centres commerciaux et il se révèle être un bon point de départ pour démarrer une aventure souterraine. Étant l'épicentre de cet axe intérieur piétonnier réparti le long de la rue Sainte-Catherine, il permet d'accéder aux cours Mont-Royal et à la place Montréal Trust (côté Ouest), au complexe Les Ailes et au magasin La Baie (côté Est), et au Centre McGill College et à la place Ville-Marie (côté Sud). Bonne route !

LE MÉTRO

Inauguré en 1966, le métro de Montréal compte parmi les curiosités de la ville. Chaque station (il y en a 68) est unique, laissant place à la fantaisie des architectes et artistes qui l'ont conçue. Vous y découvrirez des fresques, des mosaïques, des verrières et des sculptures rappelant qu'il fait partie intégrante de l'originalité et de la singularité de ce vaste réseau de galeries souterraines.

En scène

S'il est vrai que Montréal peut s'enorgueillir de la qualité de ses compagnies de danse, tels les Grands Ballets canadiens, ou de ses pièces de théâtre (voir p. 139), elle est aussi le point de départ de plusieurs disciplines d'arts de la scène qui participent à sa renommée au niveau international.

L'humour

Comment dissocier cette forme d'esprit de Montréal ? Avec sa propre école, son musée (voir p. 56) et son célèbre festival, l'humour est devenu un art. Grâce au succès colossal du festival Juste pour rire (voir p. 25), l'École nationale d'humour ouvre ses portes en 1988. Offrant à la fois un programme de création humoristique destiné aux humoristes et un programme d'écriture dédié aux auteurs, elle a formé de nombreux artistes québécois aujourd'hui sur le devant de la scène, comme Martin Matte, Peter MacLeod ou Laurent Paquin.

Cette volonté de faire rire reflète parfaitement le plaisir de la fête et la joie de vivre qui animent les Montréalais.

L'improvisation théâtrale

En 1977, le comédien, auteur et metteur en scène Robert Gravel fonde la Ligue nationale d'improvisation. Rapidement, le concept des « matchs d'impro » théâtrale est mis en place. Le principe en est simple : deux équipes de comédiens s'affrontent sur scène suivant des thèmes tirés au sort et imposés par l'arbitre. Les équipes s'exécutent l'une après l'autre, selon une réglementation rigoureuse, et c'est au public qu'il revient de les départager. Aujourd'hui, il existe plusieurs ligues à travers le monde et ces matchs sont devenus un véritable rendez-vous scénique. À Montréal, la saison s'étend de février à mai.
Renseignements :
☎ (514) 528 5430 ou www.lni.ca

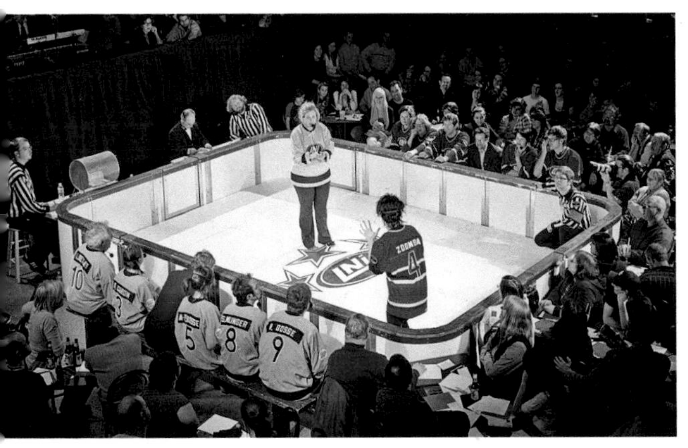

.e Cirque du Soleil

.n 1984, l'occasion est donnée . une bande d'artistes de 'ues (échassiers, jongleurs, racheurs de feu…) de nonter un spectacle célébrant e 450e anniversaire de la lécouverte du Canada. ls l'intitulent « Le Cirque lu Soleil ». L'histoire ı commencé… Fondée à Montréal par Guy Laliberté,

cette troupe d'artistes en tout genre n'a cessé de croître au point de devenir une compagnie internationale comprenant 3 000 employés à travers le monde ! Leurs spectacles sont grandioses et féeriques, regroupant acrobaties, danse, arts martiaux, multimédia et pyrotechnie. Fidèle à sa terre d'origine, le siège du Cirque du Soleil est toujours basé à Montréal (non sans contribuer à la fierté de la ville !). Leur quartier général se trouve sur le site de la TOHU, un lieu unique voué à la diffusion, à la production, à la création et à l'enseignement du cirque (voir p. 140).

Le conte

Moins scénique mais tout aussi porteur de message, conter est une tradition québécoise vieille de plusieurs décennies. Afin de préserver et promouvoir cette discipline, Montréal est l'hôte, tous les ans en octobre, du festival interculturel du Conte du Québec, un événement axé sur l'échange et le partage de l'art de conter durant lequel les conteurs, tels des voyageurs, rapportent histoires et témoignages empreints d'humour et de sensibilité (infos : ☎ (514) 272 4494 ou www.festival-conte.qc.ca). Enfin, certains bars organisent tout au long de l'année des soirées consacrées à cet art.

LES GRANDS NOMS DE LA CHANSON

Montréal et plus généralement le Québec ont vu naître un grand nombre d'artistes dont les voix ont traversé l'Atlantique. De Robert Charlebois à Garou, en passant par Diane Tell, Isabelle Boulay, Natasha Saint-Pier ou bien sûr Céline Dion, les chanteurs québécois, influencés par la culture anglo-saxonne, possèdent une belle puissance vocale et un sens inné du rythme. Les amateurs de textes poétiques se délecteront à l'écoute des chansons cultes de Gilles Vigneault ou de Richard Desjardins, deux artistes auteurs compositeurs qui font la gloire de la Belle-Province.

Visiter mode d'emploi

Se déplacer

À pied

Pour découvrir Montréal, rien de tel que de la parcourir à pied. Le centre-ville et le Vieux-Montréal étant assez proches, il est possible d'aller de l'un à l'autre à pied et cela vous permettra de découvrir des petits quartiers comme le quartier chinois, par exemple. De la vieille ville, on se rend rapidement au Quartier latin, proche du boulevard Saint-Laurent et du Plateau Mont-Royal… Bref, vous l'aurez compris, sauf pour certains secteurs excentrés, comme Westmount, Outremont, la Petite Italie ou encore le parc olympique, enfilez de bonnes chaussures et, tant que la fatigue ne vous gagne pas, marchez ! Pour vous donner une petite idée des distances, il vous faudra environ 20 minutes pour remonter la rue Sainte-Catherine entre la rue Berri et la rue Peel… sans compter les arrêts shopping bien sûr !

SE REPÉRER

Grâce aux repères qui vous sont indiqués, retrouvez sur le plan détachable de la ville placé en fin de guide, les balades du chapitre Visiter (sauf la balade 18 – voir rabat arrière de la couverture).

En métro

Le réseau est composé de quatre lignes de métro, trois réparties autour du parc du Mont-Royal, et une quatrième reliant l'île de Montréal au parc Jean-Drapeau. Différenciées par leur couleur, elles fonctionnent tous les jours aux horaires suivants :

Lignes verte et orange :
Dim.-ven. 5h30-0h30,
sam. 5h30-1h.
Ligne jaune :
Lun.-ven. 5h30-0h50,
sam. 5h30-1h30,
dim. 5h30-1h.
Ligne bleue :
T. l. j. 5h30-0h15.

Un service d'autobus de nuit assure le transport après la fermeture du métro.
Les billets sont en vente dans toutes les stations. Ils s'achètent à l'unité (2,75 $) ou par carnet de 6 (13,25 $). Il existe également une carte pour la journée valable 24h (7 $) ou pour 3 jours consécutifs (14 $), ainsi qu'une carte hebdomadaire et illimitée (CAM Hebdo) valable à partir du lundi (20,50 $) ou une carte rechargeable (carte OPUS) sur laquelle vous pouvez définir le nombre de trajets souhaités (comptez 21 $ pour

10 trajets). Attention, cette dernière coûte 6 $ à l'achat. Les petits de moins de 5 ans voyagent gratuitement et les enfants âgés de 6 à 17 ans peuvent bénéficier, sur certains titres, d'un tarif réduit. Très pratique, le métro est également au centre de la ville souterraine. Les stations du centre-ville permettent un accès direct aux différents centres commerciaux ; d'ailleurs, il vous sera parfois plus facile de trouver ces accès que les sorties vers l'extérieur !

En bus

Les chauffeurs de bus ne vendent pas de titres de transport, alors achetez-les au préalable. Il s'agit des mêmes billets ou cartes que pour le métro. Si vous utilisez des tickets à l'unité et que votre trajet implique une correspondance (du métro au bus par exemple), vous devez demander un « billet de correspondance ». Ils sont disponibles dans les stations de métro ou auprès du chauffeur de bus et vous évitent d'avoir à utiliser plusieurs billets pour un trajet unique. Le réseau d'autobus fonctionne aux mêmes horaires que le métro, mais il existe aussi un service de nuit fonctionnant de minuit à 5h du matin. Vous pourrez vous procurer un plan général du réseau ainsi que des plans individuels de chaque ligne à la station de métro Berri-UQAM (I6).

En taxi

Après une bonne journée de marche, il peut être bien agréable de circuler en taxi ! Ils sont relativement nombreux et plutôt bon marché (il est rare qu'une course en centre-ville dépasse les 12 $). Vous pouvez les héler dans la rue (c'est très efficace), les prendre à une borne ou téléphoner. Évitez de payer avec de grosses coupures et n'oubliez pas le pourboire !

COMPRENDRE LA VILLE

Si vous regardez une carte de la totalité de l'île, Montréal vous paraîtra bien vaste et difficile à parcourir en un week-end. Rassurez-vous, par Montréal, on entend le centre et ses quartiers limitrophes, rassemblés au sud, à l'est et au nord-est du parc du Mont-Royal. Le boulevard Saint-Laurent (traversant toute l'île du sud au nord) est un axe essentiel, car il délimite les parties est et ouest de la ville. Toutes les rues qui le croisent portent la mention « Est » ou « Ouest » (indiquée par E. et O. sur l'index du plan général) ce qui permet de se repérer. Ainsi, la rue Sainte-Catherine Est est à la droite du boulevard Saint-Laurent et la rue Sainte-Catherine Ouest, à sa gauche. La numérotation de ces rues débute, elle aussi, au niveau de ce boulevard. Donc, plus les numéros sont bas, plus ils s'en rapprochent. Les rues orientées nord-sud sont, quant à elles, numérotées à partir du fleuve Saint-Laurent. Enfin, plusieurs rues ayant le même nom, nous avons précisé, dans l'index, le quartier où elles se situent.

Taxi Diamond
☎ (514) 273 6331
www.taxidiamond.com
Champlain Taxi
☎ (514) 273 2435
www.taxichamplain.qc.ca

En voiture

À moins que vous ne désiriez faire quelques escapades dans les environs, il n'est vraiment pas nécessaire de louer une voiture pour visiter Montréal. Les places de stationnement sont assez chères (3 $ l'heure dans le centre-ville et le Vieux-Montréal et de 1 à 2 $ pour les autres quartiers) et il vous faudra, en outre, beaucoup de patience pour comprendre les panneaux qui régissent le stationnement. Un conseil : optez pour la location d'un véhicule seulement si vous comptez quitter la ville. Pour cela, il faut être âgé d'au moins 21 ans, posséder son permis national depuis un an au minimum, un permis international et être titulaire d'une carte de crédit. Sachez aussi que la grande majorité des voitures est munie d'une boîte automatique.

Avis
1225, rue Metcalfe (G7)
M° Peel
☎ (514) 866 2847
Hertz
1073, rue Drummond (C4)
M° Bonaventure
☎ (514) 938 1717
EasyCar
1200, rue Stanley (G7)
M° Bonaventure
www.easycar.com

À vélo

Montréal compte 450 km de pistes cyclables et le vélo est un moyen de transport très utilisé dès les beaux jours venus. En plus d'être une façon agréable de se déplacer, la bicyclette permet de faire de très belles balades, par exemple le long du canal de Lachine (voir p. 70), sur la promenade du Vieux-Port (voir p. 45) ou, pour les plus sportifs, dans le parc du Mont-Royal (voir p. 66 et 83). Sachez aussi qu'il est autorisé de transporter son vélo dans le métro, toute la journée les week-ends et jours fériés, et entre 10h et 15h ou après 19h en semaine. Pour cela, il faut être âgé de plus de 16 ans (ou accompagné d'un adulte), et monter dans le premier wagon, en tête de train. Depuis 2009, la ville a mis en place un système de vélo en libre-service baptisé BIXI comprenant 5 000 vélos (nombre réduit en hiver). L'abonnement coûte 5 $ pour 24h ou 28 $ pour 30 jours (tarif intéressant dès que vous utilisez votre vélo pour 7 jours ou plus). Les 30 premières minutes sont gratuites, puis compter 1,50 $ pour la 2e demi-heure, 3 $ pour la 3e et 6 $ pour chaque tranche de 30 minutes supplémentaire.

BIXI
www.bixi.com

Sinon, la location d'un vélo auprès d'une boutique spécialisée vous coûtera environ 8 $ l'heure en semaine (9 $ le week-end) et 25 $ la journée (30 $ le week-end). Si vous souhaitez vous procurer une carte des pistes cyclables, rendez-vous à l'office du tourisme (voir p. 40) ou à la Maison des cyclistes (voir p. 61).

Ça Roule Montréal
27, rue de la Commune Est (I8)

COORDONNÉES UTILES

Consulat général de France :
1501, av. McGill College – 10e étage
☎ (514) 878 4385
Lun.-ven. 8h30-12h.
Urgences :
(pompiers/police/ambulance)
☎ 911.
Centre antipoison du Québec :
☎ 1 (800) 463 5060.
Prévisions météorologiques :
☎ (514) 283 3010.

CARTE MUSÉES MONTRÉAL

Il s'agit d'un passeport offrant l'accès à 38 musées et lieux touristiques de Montréal et ses alentours, ainsi qu'au réseau de transports en commun (bus et métro). Cette carte est valable 3 jours dans un intervalle de 3 semaines et coûte 65 $ taxes incluses ou 60 $ si vous choisissez la formule sans accès aux transports en commun. Elle est en vente aux billetteries des musées, dans certains hôtels et au bureau d'information touristique. Pour un grand week-end, cette formule simplifie les visites. Profitez-en !
Renseignements : www.museesmontreal.org

M° Champ-de-Mars
☎ (514) 866 0633
www.caroulemontreal.com
www.veloaventure.com

Communiquer

Le téléphone

Les indicatifs téléphoniques doivent toujours être composés. Celui de Montréal est le 514. Le 450 et le 438 sont des indicatifs régionaux, ils sont la plupart du temps considérés comme des appels locaux, mais cela n'est pas systématique. Pour tous les numéros comprenant d'autres indicatifs, vous devrez également composer le préfixe 1, soit l'indicatif du Canada. Les appels commençant par ☎ 1 (800), ☎ 1 (866), ☎ 1 (877) et ☎ 1 (888) sont des appels gratuits. Enfin, pour appeler Montréal depuis la France, vous devez composer le ☎ 00 1 514 suivi de votre numéro. Inversement, pour appeler la France depuis le Canada vous devez composer le ☎ 011 33 suivi de votre numéro sans le 0.
À Montréal, le téléphone est peu onéreux. Avec 50 cents, vous pourrez appeler un numéro local depuis une cabine téléphonique pour une durée illimitée. Si vous souhaitez appeler en longue distance, le plus simple est d'acheter une carte téléphonique prépayée dans n'importe quel magasin de journaux, dépanneur ou pharmacie (voir p. 40 et 103). Comparez les prix en fonction de l'endroit où vous souhaitez appeler. Si vous téléphonez depuis votre hôtel, n'oubliez pas de vous renseigner sur leurs tarifs téléphoniques, il arrive qu'ils soient hors de prix ! Enfin, si vous souhaitez utiliser un téléphone portable, vérifiez bien qu'il soit tribande avant de partir.

La poste

Vous pouvez acheter des timbres dans un bureau de poste ainsi que dans la plupart des pharmacies et dépanneurs. Les bureaux de poste sont ouverts du lundi au vendredi, de 9h à 17h30. L'envoi d'une lettre ou d'une carte postale vous coûtera 0,59 $ pour le Canada, 1,03 $ pour les États-Unis et 1,75 $ pour la France.

Postes Canada
www.canadapost.ca

Bureaux de poste
1695, rue Sainte-Catherine Est (D3)
M° Papineau.

Maison de la poste
(boutique cadeaux et collection numismatique)
1250, rue University (G7)
M° McGill.

Internet

Si votre hôtel n'offre pas d'accès à Internet, sachez que certains cafés proposent des ordinateurs installés sur place comme la chaîne Presse Café. Si vous possédez votre propre ordinateur et souhaitez vous connectez à un réseau sans fil gratuit, rendez-vous sur le site **www.ilesansfil.org** afin de localiser les points d'accès de la ville.

Presse Café
1750, rue Saint-Denis (I6)
M° Berri-UQAM
☎ (514) 847 1389.

Changer son argent

La plupart des banques changent les devises étrangères et encaissent les chèques de voyage. Elles sont ouvertes du lundi au vendredi de 10h à 15h (certaines restent ouvertes jusqu'à 18h les jeudis et vendredis).
Au-delà de ces horaires, vous devrez vous rendre dans les bureaux de change situés au centre-ville (plusieurs d'entre eux sont regroupés sur la rue Sainte-Catherine), à la station centrale (505, bd de Maisonneuve Est, M° Berri-UQAM – I6), dans le Vieux-Montréal (rue Saint-Jacques – A3-4) ou au Casino de Montréal dont le bureau est ouvert tous les jours, 24h/24 (voir p. 75). Sinon, vous pouvez bien évidemment retirer de l'argent à l'aide de votre carte bancaire dans n'importe quel distributeur

LES DÉPANNEURS

Pour grignoter en chemin, pensez aux dépanneurs. Comparables aux célèbres delis new-yorkais, les dépanneurs sont des épiceries de fortune, aux façades sans charme, dont le but est bel et bien de « dépanner ». Vous y trouverez tout et n'importe quoi. Ils restent ouverts tard dans la nuit comme le mentionne d'ailleurs la chaîne des « Couche-tard ».

automatique. Mais, sachant que votre banque française prendra une commission, mieux vaut retirer une somme conséquente en une fois plutôt que de faire plusieurs petits retraits. Et pour éviter ce genre de surcoût, munissez-vous de dollars canadiens avant de partir.

Office du tourisme

Pour toutes informations et pour vous procurer des cartes, vous pouvez contacter le site internet : www.tourisme-montreal.org

Bureau d'accueil touristique
174, rue Notre-Dame Est (I8)
M° Champ-de-Mars
☎ (514) 874 1696
T. l. j. (horaires variables).

Centre Infotouriste
1255, rue Peel, bureau 100 (G7)
M° Peel (angle rue Sainte-Catherine)
☎ (514) 873 2015
T. l. j. 9h-18h (variable selon la saison) ; f. 25 déc. et 1er janv.

Horaires des musées

La plupart des musées ouvrent à 10h ou 11h et ferment à 17h ou 18h. Beaucoup sont fermés le lundi mais certains, comme le musée des Beaux-Arts ou Pointe-à-Callière, ouvrent tous les jours en été. Les horaires pouvant varier d'une saison à l'autre, vérifiez-les avant de vous déplacer. D'autre part, certains établissements, comme les musées d'art, font une nocturne, gratuite ou à tarif réduit, jusqu'à 21h (en général le mercredi). Sachez aussi que la plupart d'entre eux sont ouverts les jours fériés.

Visites guidées

Si vous souhaitez découvrir Montréal autrement, que ce soit grâce au savoir d'un guide professionnel ou bien en ajoutant un peu d'adrénaline à vos journées, voici quelques organismes qui sauront répondre à vos attentes :

En bus

Plusieurs formules permettent de faire un tour de la ville, avec ou sans arrêt, à bord d'autocars de luxe ou de bus londoniens. La visite peut durer 3 heures ou s'étaler sur 2 jours.

À vélo

Ça Roule Montréal
(voir coordonnées p. 38)
Tarif variable en fonction de l'option choisie. En plus des locations, cet organisme propose des tours guidés dans de magnifiques secteurs comme le canal de Lachine, les îles Notre-Dame et Sainte-Hélène, le Mont-Royal, le Plateau, le parc olympique ou encore le parc des Îles de Boucherville. Les trajets s'étendent sur 10 à 40 km, à vous d'évaluer vos capacités !

Sur l'eau

Le Bateau-Mouche
Vieux-Port de Montréal – Quai Jacques-Cartier (I8)
M° Champ-de-Mars
☎ (514) 849 9952
www.bateaumouche.ca
Mi-mai à mi-oct.
Tarif variable en fonction de l'option choisie.
Cette excursion à bord d'un bateau-mouche permet d'emprunter des trajets inaccessibles aux bateaux traditionnels. Vous découvrirez le canal de Lachine et ses écluses, les îles du Saint-Laurent et approcherez le courant Sainte-Marie. Il y a 5 sorties par jour comprenant un magnifique dîner-croisière (départ à 19h).

L'Amphi-Bus
Vieux-Port de Montréal – Quai King-Edward (I8)
M° Champ-de-Mars
Renseignements au ☎ (514) 849 5181 ; résa. au ☎ (514) 926 0828
www.montreal-amphibus-tour.com
Mai-oct.
Tarif : env. 32 $ par adulte.
Un autobus amphibie vous propose une double expérience, avec une visite guidée de la vieille ville ainsi qu'une visite du Vieux-Port (devrions-nous

ire du fleuve Saint-Laurent ?), nais dans l'eau !

es Descentes du Saint-aurent
912, bd LaSalle, LaSalle
HP par A5)
☎ (514) 767 2230
M° Angrignon puis bus 110
www.raftingmontreal.com
Mai-sept.
Tarif : de 41 $ à 50 $ par adulte (réduit pour les moins de 18 ans).
Situé dans l'arrondissement de LaSalle, cet organisme propose des excursions de rafting et de jet-boating sur les rapides de Lachine. Les passionnés d'aventure se régaleront. L'équipement nécessaire est fourni. Pensez simplement à prendre des vêtements de rechange !

Les Expéditions sur le canal de Lachine
47, rue de la Commune Ouest (I8)
M° Champ-de-Mars
☎ (514) 284 9607
www.sautemoutons.com
Mai-oct.
Tarif : de 25 $ à 65 $ par adulte.
Si le contact de l'eau ne vous fait pas peur, embarquez à bord de ces puissants bateaux-jets pour une expédition de saute-mouton sur les rapides de Lachine ou de grande vitesse avec dérapages et virages à 360° sur le Saint-Laurent. Des descentes en rafting sont également proposées.

Dans les airs

Delco Aviation
☎ (514) 984 1208
www.delcoaviation.com
Découvrez des paysages féeriques à bord d'un hydravion. Vous pourrez survoler Montréal en 20 minutes (75 $) ou prendre davantage de temps pour partir à la découverte d'une pourvoirie, des Laurentides, des chutes du Niagara ou même du Grand Nord !

Visites thématiques

Guidatour
360, rue Saint-François-Xavier, bureau 400 (H8)
M° Place-d'Armes
☎ (514) 844 4021
www.guidatour.qc.ca
L'équipe de Guidatour propose une multitude de façons d'aborder la ville : guide accompagnateur, guide-personnage (faisant revivre un personnage historique mais uniquement sur demande), visites en bus ou cyclo-balade. Des thèmes différents et variés comme « Lady Montréal et ses châteaux », « Cinéma à la Montréal » ou encore « Jardins secrets, jardins méconnus » vous sont proposés. Une idée originale pour parcourir l'histoire.

Architectours – Héritage Montréal
☎ (514) 286 2662
www.heritagemontreal.org
Saison estivale seulement
Tarif : env. 14 $ par adulte.
Les Architectours sont des promenades axées sur l'histoire, l'architecture et l'aménagement des différents lieux et quartiers de la ville. De nombreux sites sont proposés. Chaque visite dure environ 2 heures.

Circuit des Fantômes du Vieux-Montréal
499, rue Saint-François-Xavier (H8)
M° Place-d'Armes
☎ (514) 868 0303
www.fantommontreal.com
Juin-sept.
Vente des billets à partir de 19h30, départ 20h30 (billeterie au 360, rue Saint-François Xavier – H8).
Tarifs et horaires variables, se renseigner sur place.
À la tombée de la nuit, revivez le passé montréalais à l'aide de circuits déjantés : « La chasse aux fantômes de la Nouvelle-France », « Crimes historiques » (vendredi), ou « Les légendes du Vieux-Montréal » (mercredi et samedi). Expérience unique garantie…

VOLTAGE, POIDS ET MESURE

Comme dans toute l'Amérique du Nord, le courant électrique est de 110 volts. Il faudra donc vous munir d'une prise adaptable si vous souhaitez utiliser des appareils électriques français. En revanche, même si le Canada est passé au système métrique depuis longtemps, certaines personnes continuent de parler en pouce, en pied ou en mille. Alors mieux vaut avoir en tête certaines équivalences !
1 pouce = 2,54 cm
1 pied = env. 30 cm
1 mille = env. 1,6 km.

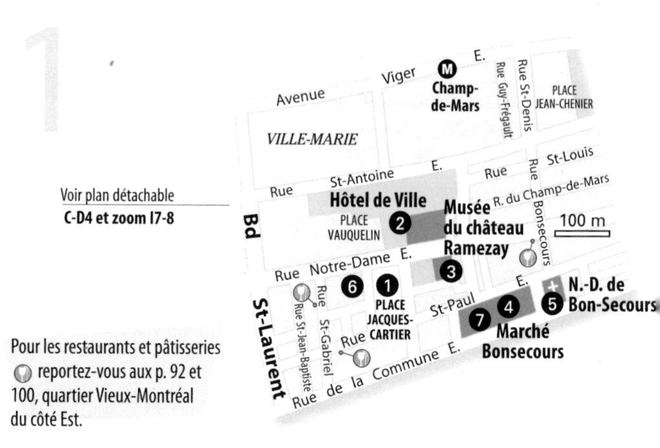

Voir plan détachable
C-D4 et zoom I7-8

Pour les restaurants et pâtisseries reportez-vous aux p. 92 et 100, quartier Vieux-Montréal du côté Est.

Le Vieux-Montréal, du côté Est

Rues pavées, calèches et édifices anciens donnent au Vieux-Montréal un petit air d'Europe. Il faut venir flâner ici de jour pour admirer quelques-uns des plus illustres bâtiments de la ville que vous retrouverez à la tombée de la nuit enveloppés de lumière. C'est tout simplement magique.

❶ Place Jacques-Cartier★★

Aménagée en 1804 sur le site de l'ancien château de Vaudreuil, cette célèbre place pentue a été baptisée en hommage à Jacques Cartier, découvreur du Canada en 1534. En été, l'atmosphère qui y règne rappelle la place du Tertre à Paris : terrasses de cafés et de restaurants côtoient une foule d'artistes en tout genre.

❷ Hôtel de ville★

275, rue Notre-Dame Est
☎ (514) 872 3355.

Ce remarquable édifice de style Second Empire fut construit entre 1872 et 1878 par Henri-Maurice Perrault. Après un terrible incendie survenu en 1922, l'intérieur et la toiture furent entièrement rebâtis selon le modèle de la mairie française de Tours. Le nouvel hôtel de ville fut inauguré en 1926 et c'est depuis son balcon que le général de Gaulle prononça, en 1967, son fameux « Vive le Québec libre ».

❸ Musée du château Ramezay★★

280, rue Notre-Dame Est
☎ (514) 861 3708
www.chateauramezay.qc.ca
1er juin-30 sept. : t. l. j. 10h-18h ; 1er oct.-31 mai : mar.-dim. 10h-16h30 (f. 21-25 déc., 31 déc. et 1er janv.)
Accès payant.

Érigée en 1705 pour le gouverneur de Montréal, Claude de Ramezay, cette magnifique demeure ne reçut son titre officiel de « château » qu'en 1903. Après avoir logé la Compagnie des Indes occidentales et

divers gouverneurs généraux, ce bâtiment abrite depuis 1895 le plus ancien musée privé d'Histoire du Québec. Parmi les 30 000 pièces, on notera de remarquables collections ethnologique et numismatique. Un jardin clos, inspiré du XVIIIe s., a été aménagé dans la cour arrière.

4 Marché Bonsecours★★

350, rue Saint-Paul Est
☎ (514) 872 7730
www.marchebonsecours.qc.ca
T. l. j. horaires variables selon les saisons.

Inauguré en 1847, cet édifice de style néoclassique, au dôme argenté de plus de 30 m, a abrité tour à tour le parlement du Canada-Uni, l'hôtel de ville de Montréal et un marché public. En 1963, le bâtiment ferme définitivement ses portes et ce n'est que depuis 1996 que le marché reprend vie, abritant aujourd'hui 15 boutiques, véritables vitrines des artistes, designers et artisans québécois, et 3 restaurants-cafés avec terrasse.

5 Chapelle Notre-Dame-de-Bon-Secours et musée Marguerite-Bourgeoys★★

400, rue Saint-Paul Est
☎ (514) 282 8670
www.marguerite-bourgeoys.com
Musée : mai-oct., mar.-dim. 10h-17h30 ; nov.-mi-janv. et mars-avr., mar.-dim. 11h-15h30 ; fermé de mi-janv. à fin fév.
Chapelle ouv. toute l'année
Accès gratuit pour la chapelle ; payant pour le musée.

C'est à la demande de Marguerite Bourgeoys, religieuse et institutrice française, qu'une chapelle dédiée à Marie fut construite entre 1657 et 1675. Première église de pierre de Montréal, elle est un véritable lieu de pèlerinage pour les marins (les ex-voto en forme de maquettes de navires suspendus dans la nef en témoignent). Le musée retrace l'histoire de l'église et la vie de sa fondatrice. En été, chaque après-midi dans la

crypte, une pièce de théâtre fait revivre les personnages de l'époque.

6 Galerie Le Chariot

446, pl. Jacques-Cartier
M° Champ-de-Mars
☎ (514) 875 4994
www.galerielechariot.com
Lun.-sam. 10h-18h, dim. 10h-15h.

Considérée comme l'une des plus grandes galeries destinées à l'art inuit, Le Chariot renferme de splendides pièces de toutes tailles. Vous trouverez principalement des œuvres en pierre de savon provenant de Inukjuak, des sculptures de serpentine venues de l'île de Baffin ou des travaux en basalte de la région de Keewatin. Intéressantes aussi, quelques pièces sculptées dans des os de baleine, des mâchoires d'ours ou des crânes de morse.

7 LE CABARET DU ROY★

Si l'idée de déguster des mets inspirés du XVIIIe s. vous attire, installez-vous à la table de votre choix pour un repas-spectacle gargantuesque. Vous débuterez sans doute par une « sagamité », un potage amérindien au maïs et au fumet de poisson qui calera déjà les plus faibles ! Si les portions sont trop copieuses, un menu à la carte est possible. Ambiance de fête garantie !

363, rue de la Commune Est – ☎ (514) 907 9000
Mai-sept. : t. l. j. 11h30-23h
Le reste de l'année sur résa. (seul ou en groupe)
www.oyez.ca

2

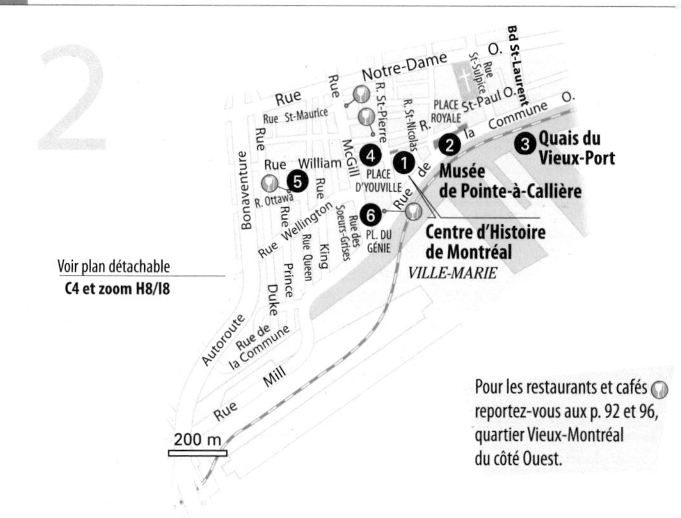

Voir plan détachable
C4 et zoom H8/I8

Pour les restaurants et cafés reportez-vous aux p. 92 et 96, quartier Vieux-Montréal du côté Ouest.

Le Vieux-Montréal, du côté Ouest

Cette partie du Vieux-Montréal est incontournable pour saisir l'âme de la ville. La rue Saint-Paul, parsemée de commerces et de galeries d'art, ou la place d'Youville, et ses anciennes écuries, offrent une sympathique ambiance de village, tandis qu'à l'ouest de la rue McGill, le quartier multimédia, une enclave artistique et culturelle, est en pleine expansion.

❶ Centre d'Histoire de Montréal★★★

335, place d'Youville
☎ (514) 872 3207
www.ville.montreal.qc.ca/chm
Mar.-dim. 10h-17h
Accès payant
Voir « Zoom sur » p. 81.

Il s'agit sans doute de l'endroit le plus complet pour découvrir l'histoire de Montréal. Installé dans une ancienne caserne de pompiers, ce centre culturel vous invite à parcourir l'évolution de la ville depuis sa fondation jusqu'à nos jours. S'intéressant à la fois aux événements marquants de l'histoire et à la vie quotidienne de ses habitants, il permet d'acquérir une excellente compréhension de la ville.

❷ Pointe-à-Callière, musée d'Archéologie et d'Histoire de Montréal★★★

350, place Royale
☎ (514) 872 9150
www.pacmusee.qc.ca
Mar.-ven. 10h-17h, sam.-dim. 11h-17h (été : ouv. lun, fermeture à 18h)
Accès payant
Voir « Zoom sur » p. 85.

Inauguré en 1992, le musée est le résultat de plus de dix années de fouilles archéologiques. Installé sur le lieu même de la fondation de la ville – la Pointe-à-Callière –, il renferme et expose des vestiges qui témoignent des

origines de Montréal. Au-delà de la crypte archéologique située au sous-sol, le musée vous propose, juste au-dessus des ruines, un spectacle multimédia exceptionnel sur l'histoire de la ville.

❸ Les quais du Vieux-Port★★★

www.quaisduvieuxport.com
Voir « Zoom sur » p. 86.

Devenus la porte d'entrée officielle du Canada en 1830, les quais du Vieux-Port offrent aujourd'hui une agréable promenade le long du fleuve Saint-Laurent. Plusieurs aménagements ont été conçus permettant une multitude d'activités sportives, culturelles et récréatives. Parmi celles-ci, le labyrinthe du hangar 16 (à l'entrée du quai de l'Horloge) et le centre des Sciences, doté d'un écran IMAX. De mai à septembre, des événements spéciaux sont organisés en plein air (concerts, cinéma, spectacles...) tandis qu'en hiver, le bassin Bonsecours se transforme en patinoire géante !

❹ Espace Pepin★★

350, rue Saint-Paul Ouest
☎ (514) 844 0114
www.pepinart.com
Lun.-ven. 10h-19h (18h en hiver), sam. 10h-17h, dim. 12h-17h.

Un concept réussi pour cette boutique-galerie-appartement imaginée par Lysanne Pepin au cœur du Vieux-Montréal. Les toiles de l'artiste, dont les nus et les portraits dégagent une étonnante sensualité, sont exposées parmi des objets, vêtements et accessoires réalisés par d'autres artistes, artisans et créateurs à découvrir avec plaisir. Lysanne Pepin propose aussi des reproductions de ses peintures sur canevas ainsi que des tee-shirts reprenant ses œuvres (env. 50 $).

❺ Fonderie Darling★★

745, rue Ottawa
☎ (514) 392 1554
www.fonderiedarling.org
Mer.-dim. 12h-19h (jusqu'à 22h le jeu.)
Accès payant.

Établie en 1880 par les frères Darling alors que l'industrie métallurgique était en plein essor, la fonderie a été savamment réhabilitée il y a quelques années en un centre d'Art contemporain d'avant-garde diffusant la production de jeunes artistes émergeant venus d'un peu partout. L'édifice abrite également le Cluny Art Bar (voir p. 96).

❻ CAFÉ DES ÉCLUSIERS★

Situé sur le fleuve Saint-Laurent, le Café des Éclusiers possède sans doute la terrasse la plus prisée en été, surtout à l'heure de l'apéro entre 17h et 19h. Directement sur l'eau avec bar rond extérieur, chaises longues et parasols, il offre une véritable ambiance de plage ! Salades-repas ou grillades pour déjeuner au soleil, délicieuses tapas dès 17h, DJ et soirées thématiques, c'est à vous de décider quel sera votre programme. Pour info, sachez que la soirée la plus animée est souvent celle du jeudi...

Angle avenue McGill et rue de la Commune Ouest
☎ (514) 496 0109
De mai à sept. t. l. j. 11h30-minuit en fonction de la météo.

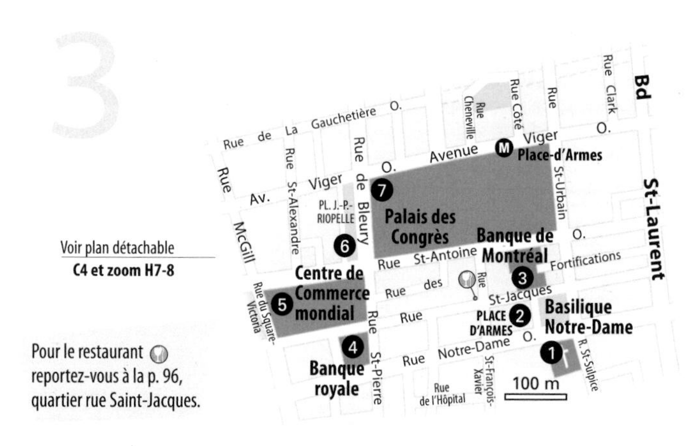

Voir plan détachable
C4 et zoom H7-8

Pour le restaurant reportez-vous à la p. 96, quartier rue Saint-Jacques.

De part et d'autre de la rue Saint-Jacques

Ancien symbole du pouvoir financier, la rue Saint-Jacques sépare la vieille ville du récent quartier international. Ce dernier regroupe des constructions contemporaines et audacieuses comme le palais des Congrès ou le Centre de Commerce mondial. De l'autre côté de la rue, la basilique Notre-Dame, un autre symbole de puissance, religieuse cette fois…

❶ Basilique Notre-Dame de Montréal★★★

110, rue Notre-Dame Ouest
☎ (514) 842 2925
www.basiliquenotredame.ca
Lun.-ven. 8h15-16h30, sam. 8h15-16h, dim. 12h30-16h
Accès payant (sf pour les offices religieux)
Voir « Zoom sur » p. 87.

Construite entre 1824 et 1829, la basilique est un chef-d'œuvre de l'architecture néogothique que l'on doit à James O'Donnell, architecte protestant d'origine irlandaise. Le décor intérieur, signé Victor Bourgeau, est entièrement réalisé de bois peint et doré à la feuille. De magnifiques

vitraux illustrent l'histoire de la paroisse et de la société montréalaise. À l'arrière, la chapelle du Sacré-Cœur offre un aspect plus moderne.

❷ Place d'Armes★

Utilisée jadis pour les manœuvres militaires, la place d'Armes est en quelque sorte un symbole de l'histoire de Montréal. En 1895, on y élève une statue à la gloire de Paul Chomedey de Maisonneuve, fondateur de la ville. Il est entouré d'autres personnages marquants de l'époque : Jeanne Mance, Lambert Closse… tous deux faisant partie du groupe des premiers fondateurs. Autre symbole historique : le vieux séminaire Saint-Sulpice situé à côté de la basilique. Construit entre 1684 et 1687, il est le plus ancien bâtiment de Montréal, toujours habité.

❸ Banque de Montréal★

119, rue Saint-Jacques
Lun.-ven. 10h-16h
Accès gratuit.

Fondée en 1817, elle est la plus ancienne banque du pays. L'édifice a été bâti en 1847 selon le modèle du Panthéon de Rome. L'intérieur, réaménagé en 1905, a été doté d'un splendide hall à l'image de la puissance de l'entreprise. Un petit musée expose d'anciens billets de banque, des tirelires ainsi que des documents historiques datant du XIXe s.

❹ Banque royale★★

360, rue Saint-Jacques
Lun.-ven. 9h-16h.

Construit en 1928 selon les plans des architectes new-yorkais York et Sawyer, le nouveau siège de la Banque royale, haut de 23 étages, devint le plus grand immeuble de bureaux de l'Empire britannique ! S'installant sur un pâté de maisons tout entier, l'institution souhaitait affirmer sa force et son statut de plus grande banque du Canada. Les hauteurs de plafond sont de plus de 13 m ! Les lustres et les éléments de décor sont majestueux.

❺ Centre de Commerce mondial de Montréal★★

747, rue du Square-Victoria
☎ (514) 982 9888
www.centredecommerce mondial.com

Véritable prouesse architecturale, ce complexe a été construit en 1992 de part et d'autre de la ruelle des Fortifications. Des vestiges de plusieurs bâtiments anciens y sont intégrés. La ruelle (correspondant au tracé

des remparts de la ville du XVIIIe s.) est couverte d'une toiture en verre. Le Centre abrite plus de 20 boutiques, restaurants et cafés ainsi qu'un pan du Mur de Berlin offert à la ville pour son 350e anniversaire. La déesse de la Mer, Amphitrite, à l'extrémité du plan d'eau ornait jadis la fontaine communale de Saint-Mihiel, en France.

❻ Toqué!★★★

900, place Jean-Paul-Riopelle
☎ (514) 499 2084
www.restaurant-toque.com
Mar.-sam. 17h30-22h30.

Considéré comme une des meilleures tables de Montréal, le restaurant Toqué! vous accueille dans un cadre très design, avec une cuisine inventive et raffinée mettant en valeur les produits du terroir québécois (le foie gras de canard et l'agneau de l'Estrie vous laisseront un souvenir inoubliable). Également à la carte, un menu dégustation surprise composé de sept plats, dont seul le chef Normand Laprise détient la recette ! (Ce menu est à 92 $ sans le foie gras ou à 104 $ avec le foie gras.)

❼ PALAIS DES CONGRÈS★

Son imposante façade de verre coloré attirera sûrement votre attention. Inauguré en 2002, le palais des Congrès a voulu s'imposer comme une vitrine de la modernité et un symbole du quartier international. À l'intérieur se trouve un original jardin de sculptures constitué de 52 troncs d'arbres roses, véritables reproductions des arbres de l'avenue du Parc.

1001, place Jean-Paul-Riopelle
☎ (514) 871 8122
www.congres mtl.com
Visites sur r.-v.
Accès gratuit.

4

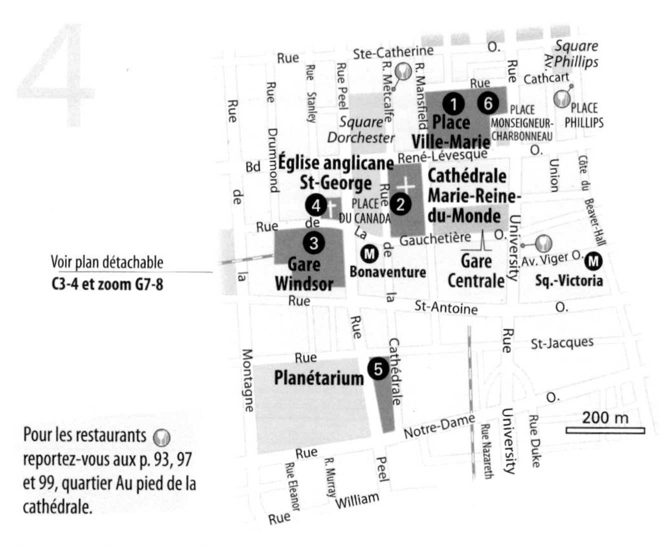

Voir plan détachable
C3-4 et zoom G7-8

Pour les restaurants reportez-vous aux p. 93, 97 et 99, quartier Au pied de la cathédrale.

Au pied de la cathédrale

La modernité des gratte-ciel, la beauté des édifices religieux et l'architecture imposante de la gare Windsor offrent un paysage unique dans ce quartier chargé d'histoire. Vous trouverez peu de magasins en surface, mais en sous-sol, c'est la profusion qui règne. La galerie commerciale Place Ville-Marie est l'épicentre de ce vaste réseau souterrain.

❶ Place Ville-Marie★

www.placevillemarie.com
Galerie marchande : lun.-mer. 9h30-18h, jeu.-ven. 9h30-21h, sam. 9h30-17h, dim. 12h-17h.

Ce gratte-ciel en forme de croix rappelle la vocation religieuse initiale de la ville dédiée à la Vierge Marie. Réalisé à la fin des années 1950 selon les plans de l'architecte Ming Pei (à qui l'on doit la pyramide du Louvre à Paris), ce complexe comprend des bureaux et des galeries marchandes souterraines très étendues, reliées à la majorité des immeubles avoisinants. Cet édifice a marqué le début de la ville souterraine (voir p. 32).

❷ Cathédrale Marie-Reine-du-Monde★★

1085, rue de la Cathédrale (angle de la rue Mansfield et du bd René-Lévesque O.)
☎ (514) 866 1661
www.cathedralecatholiquedemontreal.org
T. l. j. 6h30-19h
Accès gratuit.

Après qu'un terrible incendie détruisit l'ancienne cathédrale catholique en 1852, Mgr Ignace Bourget décida d'en faire bâtir une nouvelle

au cœur du quartier protestant et aux dimensions grandioses, afin de surpasser la basilique Notre-Dame des sulpiciens, et d'affirmer la suprématie de l'Église catholique. Marie-Reine-du-Monde sera donc construite entre 1870 et 1894 selon le modèle de la basilique Saint-Pierre de Rome ! À l'intérieur, un imposant baldaquin néobaroque domine la nef.

❸ Gare Windsor★

1100, rue de la Gauchetière Ouest
☎ (514) 395 5165.

Avec son architecture massive de style néoroman, la gare Windsor nous apparaît tel un château en plein centre-ville. Inaugurée en 1889

à la demande de William Van Horne, directeur de la Canadian Pacific Railway (aujourd'hui appelée Canadien Pacifique), elle devient le siège social de la compagnie et une plaque tournante du système ferroviaire canadien. Depuis la construction du Centre Bell voisin (voir p. 140), la gare Windsor a perdu sa vocation de gare. Elle abrite désormais de nombreux bureaux et quelques commerces.

❹ Église anglicane Saint-George★

1101, rue Stanley (en face de la place du Canada)
☎ (514) 866 7113
www.st-georges.org
Mar.-dim. 9h-16h
Accès gratuit.

Construite entre 1869 et 1870 selon les plans de William T. Thomas, cette église anglicane, dont la façade de grès est magnifiquement sculptée, est un joyau de l'architecture néogothique. Son plafond à poutres serait l'un des plus grands au monde ! L'aménagement intérieur est marqué par l'omniprésence du bois et les multiples vitraux qui donnent une ambiance unique.

❺ Planétarium★★

1000, rue Saint-Jacques (déménagement prévu en mai 2012, voir p. 73)
☎ (514) 872 4530
www.planetarium.montreal.qc.ca
Horaires variables selon les mois, se renseigner sur place ; fermé lun. (sf j. fériés et l'été) et janv.
Accès payant.

Ouvert en 1966, le Planétarium propose chaque année au sein de son théâtre des Étoiles (muni d'un dôme hémisphérique de 20 m), des projections sur les sciences de l'espace et les découvertes de l'astronomie. Ces spectacles sont présentés en alternance en français et en anglais. Diverses expositions sont régulièrement mises en place sur des thèmes précis comme le système solaire, les météorites, les éclipses…

❻ ALTITUDE 737★★★

Situé au 46e et dernier étage de la tour, ce restaurant, doté d'immenses baies vitrées, offre la plus belle vue panoramique que l'on puisse avoir sur la ville ! L'idéal est de s'y rendre en début de soirée, au moment du coucher de soleil. Dans un cadre sobre et élégant, vous goûterez à une cuisine internationale. La carte propose des spécialités françaises et européennes avec une table d'hôte le midi (env. 13 $). À l'étage du dessous, une terrasse-lounge pour les beaux jours ainsi qu'une boîte de nuit.

Place Ville-Marie, niveau PH2
☎ (514) 397 0737
www.altitude737.com
Mar.-ven. 11h30-14h et mar.-sam. 17h-22h30 (bar à partir de 17h).

5

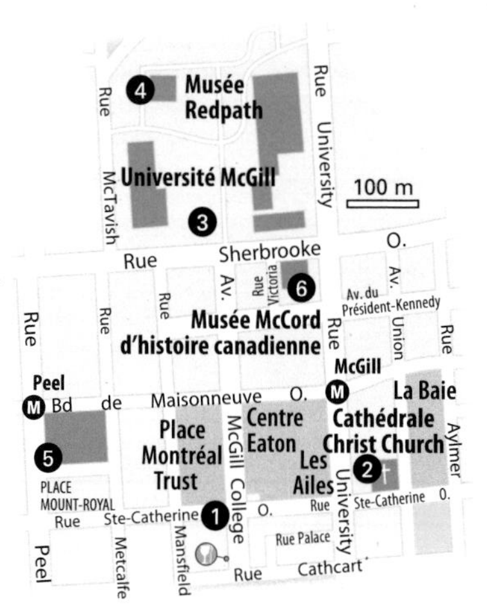

Voir plan détachable
C3 et zoom G6-7

Pour le restaurant reportez-vous à la p. 93, quartier Autour de la rue Sainte-Catherine.

Autour de la rue Sainte-Catherine

Cette partie du centre-ville est une des plus animées ! Entre les innombrables boutiques de la rue Sainte-Catherine (et de ses sous-sols !), les multiples édifices de bureaux, le campus universitaire et les musées, c'est une foule bigarrée qui arpente les rues tout au long de la journée. Joignez-vous au tableau et laissez-vous séduire par les joies du magasinage…

1 Rue Sainte-Catherine★

Entre les rues Guy et Saint-Denis.

En constante évolution depuis le début du XXe s., la rue Sainte-Catherine est aujourd'hui, avec plus de 1 200 magasins, la plus grande artère commerciale du pays ! Elle permet également l'accès à de nombreuses galeries souterraines. Vous y trouverez également quelques fast-foods et restaurants plutôt bon marché.

❷ Cathédrale Christ Church★

635, rue Sainte-Catherine Ouest
☎ (514) 843 6577
www.montreal.anglican.org/cathedral
Dim.-ven. 8h-16h, sam. 9h30-17h.

Sur le modèle des églises anglaises à plan cruciforme du XIVe s., la cathédrale Christ Church, érigée entre 1857 et 1859, constitue un très bel exemple d'architecture néogothique. Son intérieur, très sobre, est doté de belles boiseries. Un centre commercial, Les Promenades de la Cathédrale, a été construit juste au-dessous et a permis de consolider les fondations !

❸ Université McGill★

805, rue Sherbrooke Ouest
☎ (514) 398 6555 (pour une visite guidée)
www.mcgill.ca

Fondé en 1821 grâce à un don de James McGill, riche marchand de fourrures originaire d'Écosse, le campus est la première université anglophone du Canada. D'une superficie de 35 ha, elle comprend aujourd'hui plus de 80 bâtiments. Le pavillon principal, situé au bout de l'allée centrale, est le plus ancien et loge la faculté des Arts. Il abrite toujours le Moyse Hall, un théâtre datant de 1926.

❹ Musée Redpath★★

859, rue Sherbrooke Ouest
☎ (514) 398 4086
www.mcgill.ca/redpath
Lun.-ven. 9h-17h, dim. 13h-17h ; f. ven. durant l'été
Accès gratuit.

Logé dans un des plus charmants pavillons de l'université McGill, le musée Redpath est consacré à l'histoire naturelle. Il renferme de belles collections de paléontologie (plus de 150 000 fossiles), de géologie, de zoologie (des espèces aujourd'hui disparues) et d'ethnologie. Plusieurs expositions permanentes sont proposées dont une sur la diversité biologique et minéralogique du Québec.

❺ Les Cours Mont-Royal★★

1455, rue Peel
☎ (514) 842 7777
www.lcmr.ca
Lun.-mer. 10h-18h, jeu.-ven. 10h-21h, sam. 10h-17h, dim. 12h-17h.

Il s'agit sans doute de l'un des plus beaux centres commerciaux de Montréal ! Installé dans les locaux de l'ancien hôtel Mont-Royal (construit en 1922 et considéré alors comme le plus vaste de l'Empire

britannique), ce complexe possède une architecture intérieure exceptionnelle. La lumière naturelle illumine la cour centrale, mettant en valeur ses tons d'or, de blanc et de gris. Un impressionnant lustre trône au-dessus d'un podium réservé aux défilés de mode tandis que des sculptures d'anges volent dans les airs…

❻ MUSÉE MCCORD D'HISTOIRE CANADIENNE★★★

Inauguré en 1921, le musée porte le nom de son fondateur David Ross McCord. Désireux de mettre en valeur l'histoire et les cultures de son pays, ce collectionneur parcourut le Canada pour dénicher des objets représentatifs d'une époque. De fait, le McCord abrite l'une des principales collections historiques d'Amérique du Nord avec des éléments liés aux Amérindiens et à la vie quotidienne aux XVIIIe et XIXe s. Le musée détient également les archives photographiques Notman, une banque iconographique inestimable remontant aux années 1840.

690, rue Sherbrooke Ouest
☎ (514) 398 7100
www.musee-mccord.qc.ca
Mar.-ven. 10h-18h, sam.-dim. 10h-17h ; en été, ouv. lun. 10h-17h
Accès payant.

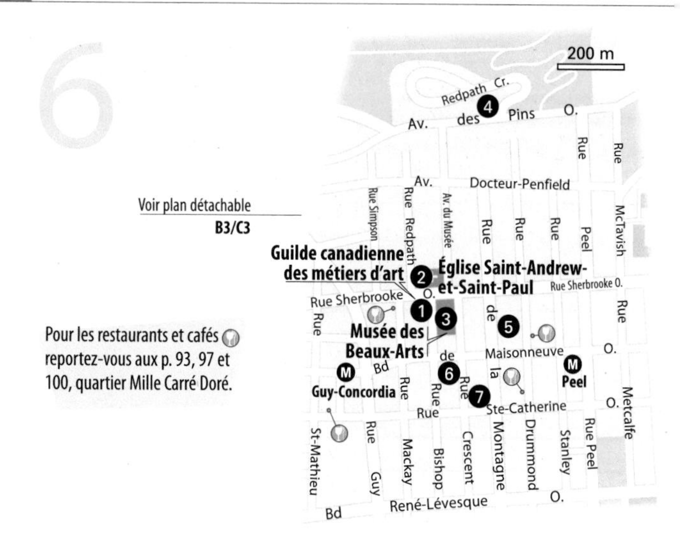

Le Mille Carré Doré
ou quartier des musées

Au cours du XIXe s., l'élite anglophone, principalement d'origine écossaise, s'installe dans ce périmètre. Avec des habitants détenant la majorité de la richesse canadienne, ce quartier est vite baptisé « le Mille Carré Doré ». Aujourd'hui encore, il conserve son prestige grâce aux quelques demeures d'époque de l'avenue des Pins, ainsi qu'à ses nombreuses galeries d'art et boutiques chic, sans oublier l'incontournable musée des Beaux-Arts.

❶ Guilde canadienne des métiers d'art★★★

1460, rue Sherbrooke Ouest
☎ (514) 849 6091
www.guildecanadiennedesmetiersdart.com
Mar.-ven. 10h-18h, sam. 10h-17h.

La Guilde canadienne, établie depuis 1906, est une organisation à but non lucratif dont la mission est de conserver, d'encourager et de promouvoir les métiers d'art au Canada. Elle expose et met en vente des œuvres uniques ou des séries limitées d'art inuit (des années 1900 à nos jours), d'art amérindien mais aussi d'art contemporain avec, entre autres, une belle collection de bijoux et de céramiques.

❷ Église Saint-Andrew-et-Saint-Paul★

3415, rue Redpath
☎ (514) 842 3431
www.standrewstpaul.com
Mar.-jeu. 10h-16h
Accès gratuit.

Cette imposante église presbytérienne, construite en 1932, est l'une des plus importantes institutions de la communauté écossaise de Montréal. Son intérieur en pierre, d'inspiration médiévale, est orné de magnifiques vitraux commémoratifs. Juste

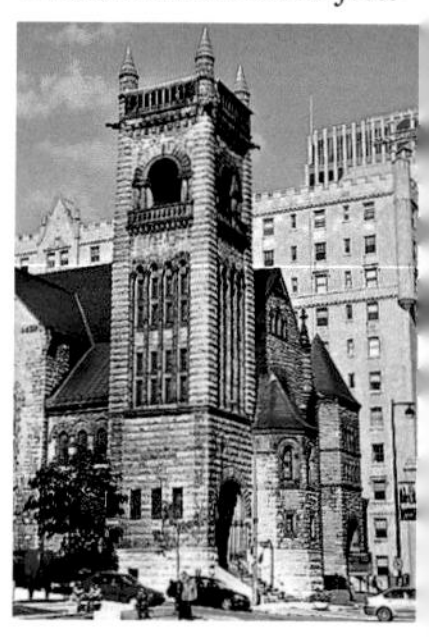

à côté de l'édifice, un petit jardin a été aménagé.

❸ Musée des Beaux-Arts★★★

1379 et 1380, rue Sherbrooke Ouest
☎ (514) 285 2000
www.mbam.qc.ca
Mar. 11h-17h, mer.-ven. 11h-21h, sam.-dim. 10h-17h
Accès payant uniquement pour les expositions temporaires (tarif réduit mer. à partir de 17h)
Voir « Zoom sur » p. 80.

Fondé en 1860, le musée des Beaux-Arts, le plus ancien musée québécois, possède une collection riche et variée regroupant toutes les formes d'art depuis l'Antiquité jusqu'à nos jours. Il s'étend sur quatre bâtiments : le pavillon Michal-et-Renata-Hornstein (dont les formes rappellent la Rome antique), le pavillon Jean-Noël-Desmarais, renfermant une grande partie de la collection ainsi que de très intéressantes expositions temporaires, le pavillon Claire-et-Marc-Bourgie, entièrement dédié à l'art canadien et le pavillon Liliane-et-David-M. Stewart dédié aux arts décoratifs.

❹ Avenue des Pins Ouest★★

Entre la rue McTavish et la rue Redpath.

L'avenue des Pins est une des rares artères du quartier où subsistent de somptueuses demeures construites entre 1850 et 1930 témoignant de la grande bourgeoisie canadienne de l'époque. Parmi celles-ci, Ravenscrag (n° 1025), semblable à un château avec plus de 60 pièces, la maison Henry V. Meredith (n° 1110) ou la maison Clarence-de-Sola (n° 1374).

❺ Marie Saint-Pierre★★

2081, rue de la Montagne
☎ (514) 281 5547
www.mariesaintpierre.com
Lun.-mer. 10h-18h, jeu.-ven. 10h-20h, sam. 10h-17h, dim. 12h-17h.

Marie Saint-Pierre est une figure incontournable de la mode et des designers québécois. Elle ose donner à ses créations un aspect à la fois sport et couture parfaitement représentatif de la femme d'aujourd'hui. Des couleurs vives, des matières chatoyantes (de l'organza de soie à la microfibre en passant par le crépon de tulle), tout est étudié pour que la femme rayonne. Pensez aussi à jeter un œil sur cette originale collection en taffetas froissé inaltérable vendue dans des tubes en plastique : une excellente idée de transport pour le voyage.

❻ Rue Crescent★★

Entre les rues Sainte-Catherine et Sherbrooke.

Épicentre de la communauté anglophone, la rue Crescent abrite à la fois de somptueuses maisons d'architecture victorienne et la plus grande concentration de pubs de la ville. Principalement fréquentée par les étudiants de l'université McGill, elle fait partie des rues les plus animées de la ville.

❼ OGILVY★

Véritable institution, la création de la Maison Ogilvy remonte à 1866. Malgré le réaménagement de ce grand magasin en plusieurs boutiques indépendantes, l'intérieur de l'édifice a conservé une partie de sa décoration ainsi que la salle de spectacle Tudor située au 5e étage. Un cornemuseur joue à midi tous les jours.

1307, rue Sainte-Catherine Ouest
☎ (514) 842 7711
www.ogilvycanada.com
Lun.-mer. 10h-18h, jeu.-ven. 10h-21h, sam. 9h-17h, dim. 12h-17h.

7

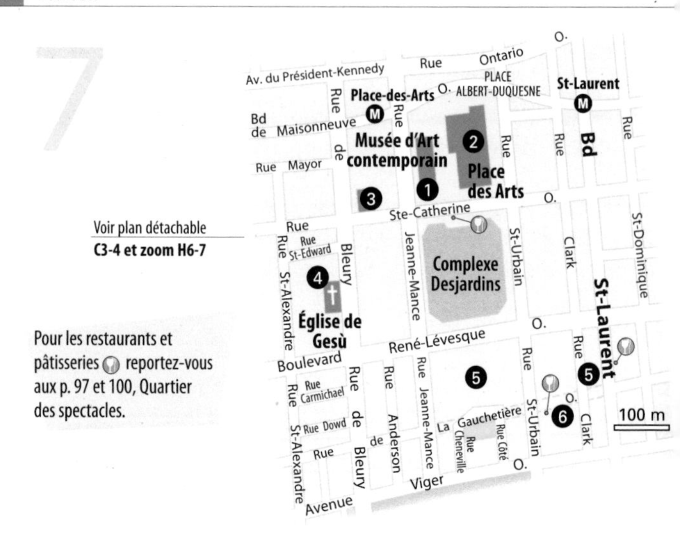

Voir plan détachable
C3-4 et zoom H6-7

Pour les restaurants et pâtisseries reportez-vous aux p. 97 et 100, Quartier des spectacles.

Du quartier des spectacles au quartier chinois

Danse, théâtre, musique, opéra, ballet, plus de 80 lieux de diffusion culturelle sur moins d'un kilomètre carré forment ce quartier des spectacles, un quartier en pleine expansion ! Un peu plus au sud, le quartier chinois, plein de couleurs et de parfums, prolonge le spectacle…

❶ Musée d'Art contemporain★★★

185, rue Sainte-Catherine Ouest
☎ (514) 847 6226
www.macm.org
Mar.-dim. 11h-18h (jusqu'à 21h le mer.) ; ouv. lun. fériés
Accès payant sf le mer. à partir de 18h
Voir « Zoom sur » p. 79.

Seule institution au Canada vouée exclusivement à l'art contemporain, ce musée offre une programmation riche et variée d'artistes québécois, canadiens et internationaux. L'édifice possède huit salles (chacune dotées d'un bel espace), une médiathèque, une boutique, un restaurant et un jardin

de sculptures. La collection permanente compte près de 7 000 œuvres représentant plusieurs disciplines : peinture, dessin, estampe, sculpture, photo, installation et vidéo.

❷ Place des Arts★

175, rue Sainte-Catherine Ouest
☎ (514) 842 2112
www.pda.qc.ca

Complexe culturel inauguré en 1963 (à l'image du Lincoln Center de New York), la place des Arts regroupe cinq salles de spectacles. Au centre, Wilfrid-Pelletier,

la plus grande, accueille l'orchestre symphonique, l'opéra et les grands ballets canadiens. À droite, l'édifice des théâtres renferme le théâtre Maisonneuve, le théâtre Jean-Duceppe et le Studio-Théâtre. Enfin, au-dessous du musée d'Art contemporain, la Cinquième Salle est un espace polyvalent qui propose musique, danse et théâtre.

❸ Maison du Festival Rio Tinto Alcan★★

305, rue Sainte-Catherine Ouest
☎ (514) 288 8882
www.maisondufestival.com
Médiathèque : lun.-ven. 11h30-18h (t. l. j. 11h30-22h pendant le Festival de Jazz)
Galerie : mar.-mer. 11h30-18h, jeu.-ven. 11h30-21h, sam.-dim. 11h30-17h.

Intimement liée au festival le plus célèbre de la ville, la Maison du Jazz abrite une salle de spectacle, un bistro-terrasse, une galerie d'art vouée à la diffusion des arts visuels ainsi qu'une médiathèque (3e étage) vous permettant de consulter gratuitement des photos ainsi que toutes les archives musicales et vidéo (captation de concerts) du festival de jazz depuis sa création. Une véritable mine d'or !

❹ Église de Gesù, centre de Créativité★★

1200-1202, rue de Bleury
☎ (514) 861 4378
www.gesu.net
Église : lun.-ven. 9h-18h ; sam.-dim. variable selon les événements
Expositions : mar.-sam. 12h-18h (jusqu'à 20h les soirs de spectacle).

Conçue en 1865 pour servir de chapelle au collège jésuite Sainte-Marie (aujourd'hui démoli), l'église de Gesù, en plus de sa vocation religieuse, est également un centre créatif dédié à la diffusion des arts visuels, littéraires et dramatiques. À l'intérieur, les belles boiseries d'époque et les tableaux de saints côtoient des œuvres d'art contemporain. Expos et spectacles y sont régulièrement présentés.

❺ Quartier chinois★

Entre le bd René-Lévesque et l'avenue Viger du nord au sud, et entre les rues Jeanne-Mance et Saint-Dominique d'ouest en est.

Créé au cours de la seconde moitié du XIXe s. à la suite de nombreuses vagues d'immigration, le quartier chinois est un petit périmètre exotique au cœur de Montréal. Délimité par quatre splendides arches, répliques des portes de la Chine impériale, une multitude de boutiques et de restaurants typiques sont installés. Parmi les curiosités, le stand de calligraphie (angle des rues Clark et de la Gauchetière), la mission catholique chinoise (205, rue de la Gauchetière Ouest) et la galerie commerciale en étages que l'on découvre en entrant au 1111, rue Saint-Urbain.

❻ BONBONS À LA BARBE DE DRAGON★★

Un minuscule comptoir qui propose une douce spécialité que vous ne trouverez nulle part ailleurs : les bonbons à la barbe de dragon ! Il s'agit de petites friandises (difficilement descriptibles) faites à base de sucre, d'arachide, de graines de sésame, de noix de coco et de chocolat. Ils ont été baptisés de la sorte à cause de leur apparence filandreuse ressemblant à une barbe (4 $ pour une boîte de 6).

52B, rue de la Gauchetière Ouest.

8

Voir plan détachable
C3 et zoom H6/I6

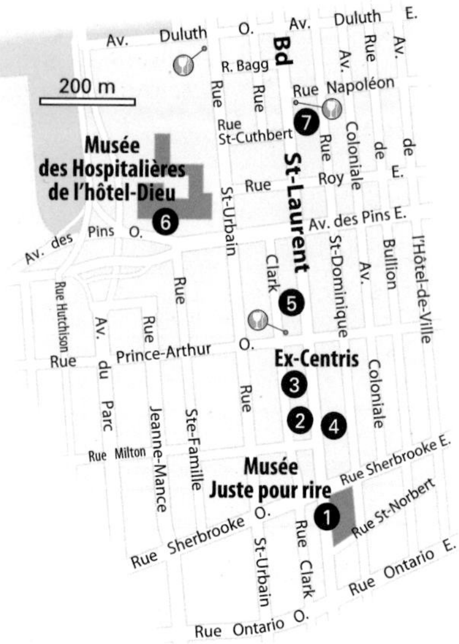

Pour les restaurants et cafés reportez-vous aux p. 93 et 97, quartier La « Main ».

La « Main », berceau montréalais

Délimitant l'est et l'ouest de la ville, le boulevard Saint-Laurent, dit la « Main » (« principale » en français), est au centre de l'histoire de Montréal. Il a accueilli les différentes vagues d'immigration dont il reste quelques traces comme le renommé Schwartz's. Tandis que les quartiers portugais, grec ou italien subsistent, cette longue artère abrite quantité de boutiques, bars et restaurants aux styles variés.

❶ Musée Juste pour rire★

2111, bd Saint-Laurent
☎ (514) 845 4000
ou ☎ (514) 845 3155
www.hahaha.com/fr
Fermé lun. (horaires variables, se renseigner sur place)
Pour groupes de 15 personnes et plus, uniquement sur résa.
Accès payant.

Devant l'immense succès du festival Juste pour rire (voir p. 25), son fondateur Gilbert Rozon décide de créer, en 1993, un espace entièrement voué à la reconnaissance du rire et de l'humour comme composants culturels à part entière. Le musée propose des expositions temporaires ainsi qu'une sélection d'archives au sein de laquelle vous pourrez redécouvrir les meilleurs humoristes québécois et internationaux.

❷ M0851★★

3526, bd Saint-Laurent
☎ (514) 849 9759
www.m0851.com
Lun.-mer. 10h-18h, jeu.-ven. 10h-21h, sam. 10h-17h, dim. 11h-17h.

Anciennement distribuée sous la marque Rugby North America, cette compagnie montréalaise confectionne, depuis 1987, des vêtements et accessoires de cuir de très bonne qualité. Difficile de résister à la sublime collection de sacs ! De la petite pochette au sac de voyage, les couleurs

ont exceptionnelles et les initions impeccables.

3 Ex-Centris★

3536, bd Saint-Laurent
☎ (514) 847 2206
www.ex-centris.com

'ondé en 1999 par Daniel ,anglois, le célèbre créateur lu logiciel Softimage (voir). 31), Ex-Centris est un lieu l'avant-garde qui propose les productions de cinéma ndépendant et des œuvres

utilisant les nouvelles technologies numériques. Ce complexe abrite différents festivals dont le festival Mutek, des expositions de photos ou des concerts acoustiques. Au rez-de-chaussée, le Café Méliès sert une cuisine goûteuse.

4 Lola & Emily★

3475, bd Saint-Laurent
☎ (514) 288 7598
www.lolaandemily.com
Lun.-mer. 11h-18h, jeu.-ven. 11h-21h, sam. 11h-17h, dim. 12h-17h.

Faire du shopping tout en ayant la sensation d'être chez sa copine, tel est le concept de Lola & Emily. Un superbe loft, agencé comme un appartement, où tout est à vendre, du canapé à la petite culotte ! Les vêtements sont rangés dans de belles armoires de brocante et les produits de beauté sont installés sur les étagères. Le tout dans une atmosphère incroyablement relaxante. Aucun doute, vous êtes à la maison…

5 Space FB★

3636, bd Saint-Laurent
☎ (438) 380 9697
Lun.-mer. 11h-18h, jeu.-ven. 11h-21h, sam. 11h-17h, dim. 12h-17h.

François Beauregard pourrait être défini comme le spécialiste du jersey de coton ! Ce designer québécois n'utilise que ce tissu pour créer des vêtements dans une gamme de coloris douce et variée. Seule précision à apporter, il vaut mieux avoir un corps de rêve pour pouvoir se les approprier !

6 Musée des Hospitalières de l'hôtel-Dieu★★

201, avenue des Pins Ouest
☎ (514) 849 2919
www.museedes hospitalieres.qc.ca
Mi-juin à mi-oct. : mar.-ven. 10h-17h, sam.-dim. 13h-17h ; mi-oct. à mi-juin : mer.-dim. 13h-17h
Accès payant.

Installé dans l'ancien logement des aumôniers, aux côtés de l'hôpital de l'hôtel-Dieu (non loin du bd Saint-Laurent), le musée raconte l'histoire de la fondation de Montréal à travers celle des hospitalières de Saint-Joseph. Grâce à une collection permanente riche de plusieurs milliers d'objets, vous découvrirez l'évolution de la médecine et des soins infirmiers au cours des derniers siècles.

7 SCHWARTZ'S★★

C'est en 1928 que Ruben Schwartz, d'origine juive roumaine, ouvre ce *delicatessen*, le premier du genre au pays. La fabrication artisanale de sa viande fumée (*smoked meat*) en a rapidement fait un lieu légendaire. Aujourd'hui encore, la viande est toujours préparée quotidiennement selon la recette originale. Que ce soit en sandwich ou simplement tranché, le *smoked meat* de Schwartz's vous fait vivre une expérience culinaire typique de Montréal ! Un comptoir Take Out situé juste à côté de la boutique permet aussi d'acheter des produits à emporter.

3895, bd Saint-Laurent
☎ (514) 842 4813 – www.schwartzsdeli.com
Dim.-jeu. 8h-0h30, ven. 8h-1h30, sam. 8h-2h30.

9

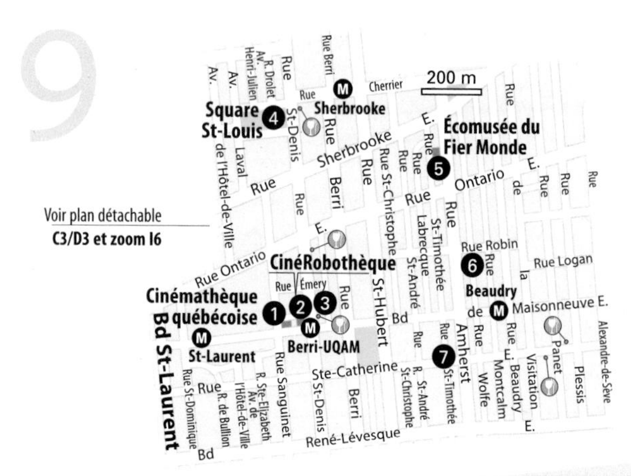

Voir plan détachable
C3/D3 et zoom I6

Pour les restaurants, cafés et pâtisseries reportez-vous aux p. 93, 94, 98 et 101, quart Du Quartier latin au Village.

Du Quartier latin au Village

Fief de la culture francophone, le Quartier latin est l'hôte de l'université du Québec à Montréal (UQAM), de la Grande Bibliothèque et de nombreux cinémas et salles de spectacles. La rue Saint-Denis, son artère principale, est en perpétuelle effervescence avec nombre de boutiques et de restaurants. Plus à l'est, le « Village », épicentre de la communauté homosexuelle, est tout aussi animé.

❶ Cinémathèque québécoise★

335, bd de Maisonneuve Est
☎ (514) 842 9768
www.cinematheque.qc.ca
Expositions : mar.-ven. 11h-20h, sam.-dim. 16h-20h (en été : mar.-ven. 11h-17h)
Médiathèque : mar.-ven. 13h-20h (en été : mar.-ven. 13h-17h)
Accès payant sf pour les expositions.

Fondée en 1963 par un groupe de cinéastes passionnés, la Cinémathèque québécoise se définit comme un musée de l'image en mouvement. Elle a pour mission de conserver et de documenter le patrimoine cinématographique et télévisuel. Elle est composée de plusieurs salles présentant des projections et des expositions, d'une médiathèque, d'une boutique et d'un charmant café doté d'une agréable terrasse.

) CinéRobothèque★★

564, rue Saint-Denis
(514) 496 6887
ww.onf.ca/cinerobotheque
ar.-dim. 12h-21h
ccès payant.

a CinéRobothèque appartient l'ONF (Office national u film du Canada), un rganisme public qui produit distribue des œuvres udiovisuelles destinées faire connaître le Canada. lle possède plus de vingt postes ui permettent de visionner us de 4 500 titres en français 6 200 titres en anglais. Cette nstitution a également deux alles de projection et propose vers ateliers thématiques.

) Brûlerie aint-Denis★

1587, rue Saint-Denis
(514) 286 9159
3967, rue Saint-Denis
(514) 286 9158
un.-jeu. 8h-21h, ven.-sam. h-minuit, dim. 9h-21h.

epuis 1985, cette maison e torréfaction montréalaise ropose une grande sélection e cafés. Des grains riches et arfumés d'Indonésie aux ubtils mélanges comme Moka-Java et des saveurs romatisées surprenantes de anille-noisette. À découvrir.

) Square aint-Louis★★

ncien réservoir d'eau du Vieux-ontréal, le square Saint-Louis st un trésor architectural. ordé de magnifiques demeures ictoriennes construites ntre 1890 et 1900, il fut le uartier résidentiel principal e la bourgeoisie française. lusieurs artistes comme le oète Émile Nelligan ou la hanteuse Pauline Julien s'y ont également établis. À l'ouest u square, la rue Prince-Arthur, ujourd'hui piétonne, était le

point de ralliement des libres-penseurs et de la communauté hippie montréalaise des années 1960.

5 Écomusée du Fier Monde★★

2050, rue Amherst
☎ (514) 528 8444
www.ecomusee.qc.ca
Jeu.-ven. 9h30-17h (16h en hiver), sam.-dim. 10h30-17h
Accès payant.

Installé dans un ancien bain public de style Art déco du quartier industriel et ouvrier de Montréal, ce musée brosse un panorama de la vie

quotidienne des travailleurs et de leurs familles. Les expositions temporaires s'intéressent à des aspects spécifiques du patrimoine du quartier.

6 Headquarters★★

1649, rue Amherst
☎ (514) 678 2923
www.hqgalerieboutique.com
Lun.-mer. 12h-18h, jeu.-ven. 12h-20h, sam. 11h-18h.

Headquarters est une galerie-boutique qui vaut le coup d'œil. Vêtements, accessoires, tableaux, objets pour la maison, tout est fait main par des artistes et designers principalement québécois. Leurs créations sont extrêmement originales et contemporaines. De temps en temps, la boutique se transforme en galerie pour accueillir le vernissage d'un artiste en devenir. Un lieu plein de vie d'où il est difficile de repartir les mains vides !

7 LE VILLAGE★

Le Village est un des plus importants quartiers gay au monde. La communauté homosexuelle s'y est installée dans les années 1980, alors que cet arrondissement industriel tombait à l'abandon. Depuis, une multitude de boutiques, bars et restaurants animent le quartier, en en faisant un lieu très apprécié pour sa vie nocturne. D'ailleurs, de fin mai à mi-septembre, la rue Sainte-Catherine se transforme en voie piétonnière, ce qui permet aux bars et aux restaurants d'y installer de spacieuses terrasses.

Rue Sainte-Catherine Est, entre les rues Saint-Hubert et Papineau.

10

Voir plan détachable
C2-3/D2-3

Pour les restaurants et cafés reportez-vous aux p. 94, 98, 99 et 101, quartier Plateau Mont-Royal.

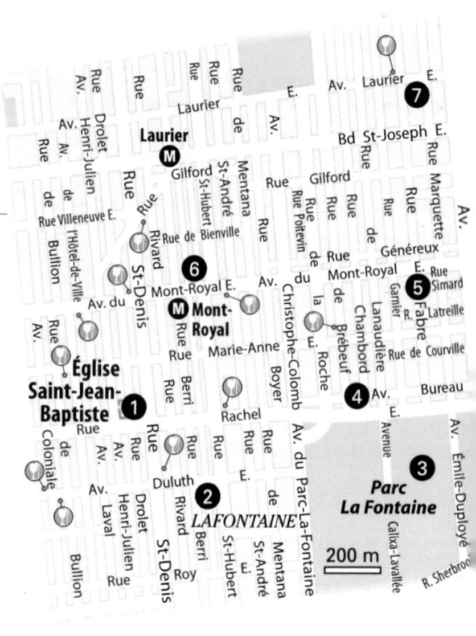

Le Plateau
Mont-Royal

Véritable village dans la ville, le Plateau est un quartier résidentiel dont les maisons aux escaliers extérieurs participent pleinement au charme de Montréal. La proximité du Mont-Royal et le parc La Fontaine en font un lieu de prédilection pour les amateurs de plein air, tandis que la rue Saint-Denis et l'avenue du Mont-Royal regorgent de boutiques, bars et restaurants. Voir « Zoom sur » p. 84.

❶ Église Saint-Jean-Baptiste★

309, rue Rachel Est
☎ (514) 842 9811
www.eglisestjeanbaptiste.com
Visites sur r.-v. (accès gratuit).

Datant de 1875, l'église Saint-Jean-Baptiste, victime à deux reprises d'incendies, fut reconstruite en 1912 selon les plans de Casimir Saint-Jean. Sa façade austère renferme un sublime intérieur d'inspiration néobaroque doté, entre autres, d'une riche ornementation

architecturale en plâtre moulé, de lustres d'origine et d'un orgue signé Casavant & Frères. De fréquents concerts y sont donnés et des visites guidées sont proposées durant l'été.

❷ Au Pied de Cochon★★

536, av. Duluth Est
☎ (514) 281 1114
www.restaurantaupieddecochon.ca
Mar.-dim. 17h-minuit.

Une adresse incontournable pour découvrir les saveurs nord-américaines ! Mieux vaut être un mangeur de viande, mais les amateurs de poisson ne seront pas en reste avec un délicieux homard. Pour les gros appétits, la côte de cochon heureux, la poutine au foie gras, les côtes levées de bison ou la purée PDC (à l'aligot) comptent parmi les musts ! La réputation de ce restaurant étant acquise, pensez à réserver.

❸ Parc La Fontaine★★

Troisième plus grand parc de Montréal, le parc La Fontaine a été aménagé à l'emplacement de l'ancienne ferme Logan. D'une superficie de 40 ha, il possède 2 étangs (séparés par une cascade) accueillant embarcations à pédales l'été et patineurs l'hiver, des terrains de sport et le théâtre de Verdure, proposant des spectacles et concerts de plein air durant la saison estivale.

❹ La Maison des cyclistes★

1251, rue Rachel Est
☎ (514) 521 8356
www.velo.qc.ca
Lun.-ven. 8h30-18h, sam.-dim. 10h-18h.

Idéalement située au carrefour de deux pistes cyclables, en face du parc La Fontaine, la Maison des cyclistes est considérée comme un véritable centre culturel du vélo au Québec. Elle abrite une boutique proposant cartes, guides et accessoires pour le vélo ainsi qu'une agence de voyages spécialisée dans les circuits à bicyclette. Un petit café, avec une terrasse donnant sur le parc, propose également des repas légers.

❺ Rue Fabre★★

Entre la rue Rachel et l'avenue Laurier.

La rue Fabre est un bon exemple de l'architecture typique du Plateau. Construites entre 1900 et 1930, ces maisons de deux ou trois étages, appelées duplex ou triplex, sont divisées en plusieurs appartements accessibles par des escaliers extérieurs. La mixité des couleurs, la présence des

balcons, la singularité des escaliers et la beauté des parterres fleuris en font un quartier unique.

❻ Petits Gâteaux★★★

783, av. du Mont-Royal Est
☎ (514) 510 5488
www.petitsgateaux.ca
Mar.-mer, sam. 10h-18h, jeu.-ven. 10h-21h, dim. 10h-17h.

Impossible de quitter la ville sans avoir dégusté un *cupcake*, la spécialité d'origine anglo-saxonne. Il s'agit d'un petit gâteau type muffin recouvert d'un glaçage à la crème qui laisse libre cours à l'inspiration et à la créativité du chef ! Ici, le résultat est un pur délice et les saveurs sont multiples : café, chocolat ou vanille pour les classiques mais aussi pommes caramélisées-meringue à l'érable, bananes-sucre à la crème ou encore chocolat-poire pochée, pour ne citer qu'eux !

❼ GAIA, ATELIER-BOUTIQUE DE CÉRAMIQUE★★★

Catherine Auriol et Marko Savard ont souhaité créer un lieu de travail, de création et de production autour de leur passion, la céramique. Adjacente à l'atelier, permettant de voir les artistes à l'œuvre, la boutique expose les créations d'une vingtaine d'artisans québécois imprégnés d'univers différents. Des objets fonctionnels, comme des plats, des théières ou des tasses, côtoient des œuvres purement décoratives. Des pièces uniques et étonnantes à découvrir avec plaisir.

1590, avenue Laurier Est
☎ (514) 598 5444 – www.gaiaceramique.com
Lun.-mer. et sam. 10h-17h, jeu.-ven. 10h-19h.

11

Voir plan détachable
C1

Pour les restaurants reportez-vous aux p. 94 et 98, quartier Petite Italie.

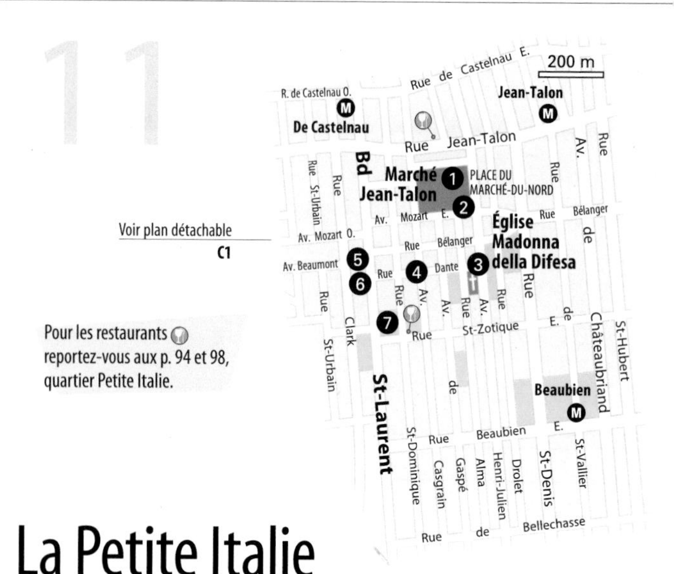

La Petite Italie

Arrivés à la fin du XIXe s., puis après la Seconde Guerre mondiale, les Italiens (principalement originaires de Sicile et du sud de l'Italie) forment la plus importante communauté ethnique de Montréal. Même si ce quartier n'est pas habité ni fréquenté uniquement par eux, il y règne une atmosphère méditerranéenne typique avec ses cafés, trattorias et restaurants aux alentours du boulevard Saint-Laurent.

❶ Marché Jean-Talon★★

7070, avenue Henri-Julien (au sud de la rue Jean-Talon)
☎ (514) 277 1588
Lun.-mer. 7h-18h, jeu.-ven. 7h-20h, sam. 7h-18h, dim. 7h-18h.

Inauguré en 1934, le marché Jean-Talon fait partie des trois grands marchés publics de la ville. Au centre sont regroupés les producteurs et marchands de fruits, légumes et fleurs. N'hésitez pas à goûter les produits qui vous

sont proposés gracieusement, vous serez surpris par leur saveur ! Tout autour, des boutiques d'alimentation spécialisées et des cafés offrent au site un caractère multiculturel.

❷ Marché des Saveurs du Québec★★

280, place du Marché-du-Nord
☎ (514) 271 3811
Sam.-mer. 9h-18h, jeu.-ven. 9h-20h.

Cette boutique, qui entoure le marché, fait partie des passages obligatoires avant de retourner en France ! Vous y trouverez une multitude de produits du terroir à rapporter dans vos bagages. Produits de l'érable (beurre, confiture, sauce vinaigrette, thé…), terrines de gibier, gelée de rose, ketchup aux fruits, miels artisanaux, têtes de violons marinées, fromages

du Québec ou cœurs de quenouilles, le plus dur sera de faire votre choix…

❸ Église Madonna della Difesa★

6810, avenue Henri-Julien
Messe du dimanche : 8h30 et 11h en italien, 10h en français.

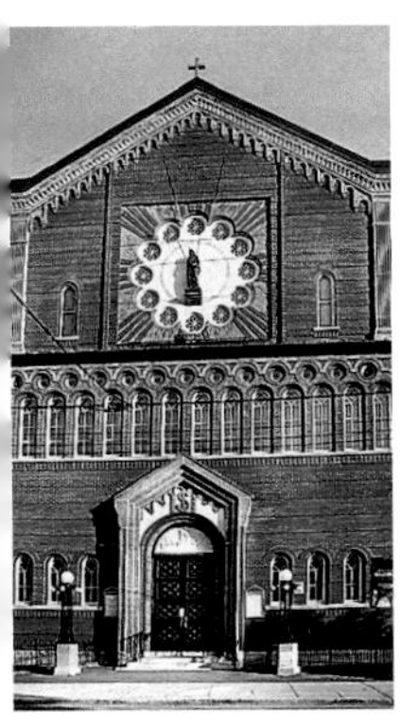

L'église fut érigée en 1919 d'après les plans de l'architecte R. Montbirant et les dessins du peintre, maître verrier et décorateur Guido Nincheri. Ce dernier est également l'auteur des fresques intérieures. L'une d'entre elles, située au-dessus du maître-autel et présentant Mussolini sur son cheval, a été longtemps controversée.

❹ Rue Dante★

La rue Dante regroupe quelques adresses-clés de la Petite Italie. En premier lieu, on trouve l'authentique pâtisserie italienne Alati-Caserta (n° 277) connue pour ses savoureux *canoli* et ses biscuits secs. Un peu plus loin, au n° 189, la pizzeria Napoletana – restaurant sans prétention et d'aspect extérieur plutôt quelconque – est réputée pour ses succulentes pizzas à pâte fine et croustillante. Elle n'est pas autorisée à vendre d'alcool, mais vous pouvez apporter votre vin. Enfin, à l'angle de la rue Saint-Dominique, une vaste quincaillerie propose une foule d'ustensiles de cuisine et bien plus encore !

❺ Milano★

6862, bd Saint-Laurent
☎ (514) 273 8558
Lun.-mer. 8h-18h, jeu.-ven. 8h-21h, sam.-dim. 8h-17h.

Véritable institution que cet immense supermarché italien où s'approvisionne, en plus de la communauté italienne, toute la population montréalaise avide de *pasta* et de produits méditerranéens. De la charcuterie faite maison, des pâtes fraîches, des fromages importés, des plats préparés et de nombreuses allées remplies de café, d'huile d'olive et d'autres aliments qui sentent bon l'Italie !

❻ Café Italia★

6840, bd Saint-Laurent
☎ (514) 495 0059
T. l. j. 6h-23h.

Ce n'est pas pour sa décoration sommaire et somme toute banale que le Café Italia est apprécié, mais pour son atmosphère typique et hautement masculine (si l'on juge la retransmission systématique des matchs de foot ou le nécessaire de toilette : mousse à raser, blaireau, rasoir… en vente derrière le comptoir !) et surtout pour ses délicieux cappuccinos considérés, par certains, comme les meilleurs de la ville. Pour les amateurs de crème glacée, rendez-vous un peu plus haut chez Pile ou Glace (au n° 7084).

❼ MIMI & COCO★★

C'est en 1993 que Vincenzo Cavallo crée à Montréal cette marque de tee-shirts fabriqués en Italie. Les textures de coton utilisées, dont le célèbre fil d'Écosse, sont de grande qualité et le choix de coloris est impressionnant. La collection « Pointelle » pour femme, avec ses bordures en dentelle et son aspect « lingerie », est d'un grand raffinement. Une belle réussite pour cette entreprise qui mérite bien sa place dans la Petite Italie…

6717, bd Saint-Laurent
☎ (514) 274 6262
Lun.-ven. 11h-18h, sam. 11h-17h, dim. 12h-17h.

12

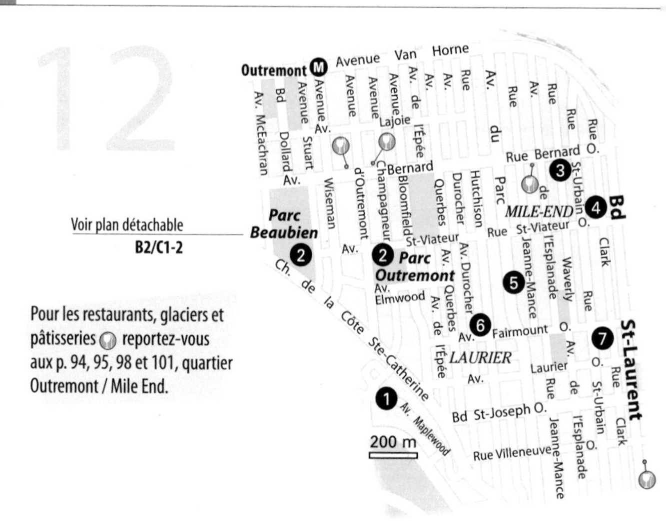

Voir plan détachable
B2/C1-2

Pour les restaurants, glaciers et pâtisseries reportez-vous aux p. 94, 95, 98 et 101, quartier Outremont / Mile End.

Outremont et le Mile End

C'est parce qu'il est situé de l'autre côté de « la montagne » que ce quartier a été baptisé Outremont. Ce secteur résidentiel est l'occasion d'une balade entre nature et belles demeures bourgeoises. Fief de la communauté juive orthodoxe, vous pourrez y déguster de véritables bagels chez Fairmount ou chez Saint-Viateur (voir p. 121). À l'est de l'avenue du Parc, le quartier du Mile End est de plus en plus prisé grâce à ses nombreux restaurants et son ambiance de village.

❶ Avenue Maplewood★★

Également appelée « avenue du pouvoir », l'avenue Maplewood est bordée de maisons somptueuses aux architectures variées. Située sur les hauteurs d'Outremont, sur le flanc nord-est de la « montagne » (nom affectueux donné au parc du Mont-Royal), cette belle artère, aux allures de campagne bourgeoise, mérite bien une petite promenade. Parmi les curiosités, les habitations des nos 47 et 49 datant de 1906 (les plus anciennes de la rue), le n° 77 et son style colonial ou la demeure du n° 118 agrémentée d'un petit ruisseau.

❷ Parc Beaubien et parc Outremont★

En plus de rues magnifiquement boisées, le quartier d'Outremont possède de nombreux espaces verts. Les parcs Beaubien et Outremont sont les plus appréciés de la population. Le premier, très vallonné, est doté d'un bel étang et de tables de pique-nique tandis que le second est apprécié pour sa situation, ses aires de jeux et son ravissant bassin

[a]grémenté d'une fontaine [i]nspirée des groupes d'enfants [d]u château de Versailles.

3 Style LABO★★★

[1]22, rue Bernard Ouest
☎ (514) 658 9910
[M]ar.-sam. 10h30-18h, [d]im. 11h30-17h.

[L]es amateurs de style industriel [e]t de pièces vintage craqueront [p]our cette formidable boutique [d]e meubles et objets de [d]écoration. Les propriétaires, [d]e véritables passionnés débordant de créativité, ont savamment mêlé époques et univers pour proposer des objets remplis d'âme, de charme et de souvenirs. À visiter sans plus attendre…

4 General 54★★

54, rue St-Viateur Ouest
☎ (514) 271 2129
Sam.-mer. 12h-18h, jeu.-ven. 12h-19h.

À la fois boutique de designers montréalais, friperie et galerie d'art, General 54 s'impose désormais comme un lieu incontournable du Mile End. Plus de 30 artistes et créateurs y sont représentés, comme Jennifer Glasgow, copropriétaire du lieu, dont les robes sont toutes plus irrésistibles les unes que les autres.

5 Milos★★

5357, avenue du Parc
☎ (514) 272 3522
www.milos.ca
Lun.-ven. 12h-15h et t. l. j. 17h30-23h30.

Ouvert par Costas Spiliadis en 1980, Milos n'a rien à voir avec les autres restaurants grecs. Ici, le décor est sobre et élégant ; l'huile d'olive goûteuse est faite maison et le poisson est cuit au charbon de bois. Le menu propose une cuisine simple et raffinée, dotée d'un grand choix de salades et d'entrées. En dessert, le yaourt au miel est irrésistible ! Considéré comme un des meilleurs restaurants de la ville, cette adresse offre un beau voyage…

6 La Croissanterie Figaro★★

5200, rue Hutchison
☎ (514) 278 6567
T. l. j. 7h-1h (23h en hiver).

Un café rempli de charme au cœur d'un quartier résidentiel ! Les vieux lustres, les boiseries et les tables de bistrot en marbre donnent un côté Belle Époque à cet endroit fréquenté par les habitants du quartier et les désireux de romantisme. Une petite terrasse agrémente les journées ensoleillées. On y mange des repas légers et surtout de délicieux croissants au blé entier, pains à la cannelle, muffins aux carottes…

7 FAIRMOUNT BAGEL★★

Cette boulangerie familiale, fondée en 1919, perpétue la tradition de l'authentique bagel, façonné à la main et cuit au four à bois. Chez Fairmount Bagel, vous découvrirez des spécialités introuvables ailleurs comme le petit pain rond au seigle noir, au bleuet, à l'épeautre et sarrasin, au chocolat, au muesli, au pesto ou encore aux tomates séchées. Un régal !

74, av. Fairmount Ouest
☎ (514) 272 0667
www.fairmountbagel.com
T. l. j. 24h/24.

13

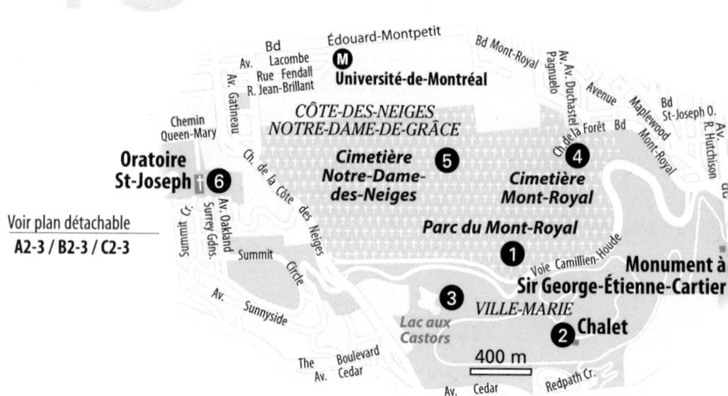

Voir plan détachable
A2-3 / B2-3 / C2-3

Le Mont-Royal
et ses alentours

Affectueusement surnommé « la montagne », le parc du Mont-Royal, avec une hauteur de 232 mètres, est le point culminant de Montréal. Véritable poumon de la ville, on y vient en famille ou entre amis pour profiter des joies du plein air ou pour y pratiquer un sport. Vélo, randonnée mais également ski de fond ou patin à glace l'hiver, ce lieu unique est un joyau dont le sommet offre un des plus beaux panoramas de la ville ! Si vous n'avez pas le courage d'y grimper par vous-même, l'autobus 11 vous y conduit (départ depuis l'avenue du Mont-Royal).

❶ Parc du Mont-Royal★★★

☎ (514) 843 8240
www.lemontroyal.qc.ca
Voir « Zoom sur » p. 83.

Au milieu du XIXe s., la ville achète un terrain de la montagne pour y construire un grand parc public. Frederick Law Olmsted, le célèbre concepteur de Central Park à New York, en élabore les plans. Inauguré en 1876, le parc du Mont-Royal s'étend sur plus de 100 ha. Il comporte de nombreux sentiers pédestres, des pistes cyclables et une variété de 700 espèces végétales. La grande croix métallique installée sur le sommet du flanc a été érigée à la mémoire de Maisonneuve, fondateur

e Montréal, qui en avait ui-même érigé une pour emercier la Vierge d'avoir auvé la ville d'une inondation.

❷ Chalet du parc du Mont-Royal★★

1196, voie Camilien-Houde Sommet du Mont-Royal ☎ (514) 872 3911 www.ville.montreal.qc.ca/ evenementspublics T. l. j. 9h30-20h.

Construit en 1932 par Aristide Beaugrand-Champagne, le Chalet de la Montagne fut un lieu très prisé où se produisaient, dans les années 1940, des orchestres de big band. La grande salle est décorée de tableaux retraçant l'histoire de Montréal réalisés par de grands peintres (dont Marc-Aurèle Fortin). En face du chalet, le belvédère Kondiaronk offre une vue imprenable sur la ville.

❸ Lac aux Castors★

Le long du chemin Remembrance.

Aménagé au milieu du XIXe s., le petit lac aux Castors est dépaysant. Entouré de larges pelouses et d'un jardin de sculptures, on peut y pique-niquer ou s'allonger au soleil l'été. En hiver, il se transforme en patinoire.

❹ Cimetière Mont-Royal★★

1297, chemin de la Forêt ☎ (514) 279 7358 www.mountroyalcem.com T. l. j. 8h-17h (2e lun. de mai 8h-16h).

Fondé en 1853 sur d'anciennes propriétés agricoles, le cimetière Mont-Royal est un des plus beaux cimetières-jardins d'Amérique du Nord. Aménagé en terrasses, il respecte la topographie du site. On dénombre 145 espèces d'oiseaux et la nature y est luxuriante ! De nombreuses personnalités reposent ici dont John Molson, fondateur de la brasserie du même nom.

❺ Cimetière Notre-Dame-des-Neiges★★

4601, chemin de la Côte-des-Neiges ☎ (514) 735 1361 www.cimetierenddn.org T. l. j. 8h-19h (17h en hiver).

Ce cimetière catholique, fondé en 1854, est le plus grand du Canada. Plus de 870 000 personnes y ont été inhumées. Il contient de magnifiques édifices religieux dont l'impressionnant mausolée Saint-Pierre-et-Saint-Paul et la ravissante petite chapelle de la Résurrection. Parmi les célébrités reposant sur le site : Jean Drapeau, ancien maire de Montréal, et le poète Émile Nelligan.

❻ Oratoire Saint-Joseph★★★

3800, chemin Queen-Mary ☎ (514) 733 8211 www.saint-joseph.org T. l. j. 7h-21h
Voir « Zoom sur » p. 78.

Ce majestueux sanctuaire est un des lieux de pèlerinage les plus courus au monde ! La construction de la première chapelle date de 1904 à l'instigation de frère André, portier au collège Notre-Dame (situé en face). L'oratoire, véritable complexe religieux, comprend une chapelle votive, une crypte, un musée, une chapelle primitive, une basilique spectaculaire et un chemin de Croix situé dans un jardin adjacent.

LES TAM-TAMS

Les dimanches après-midi d'été, au pied du monument dédié à sir George-Étienne-Cartier (le long de l'avenue du Parc), une foule se rassemble pour partager en harmonie un rite appelé communément « les tam-tams ». Des percussionnistes amateurs ou confirmés jouent pendant des heures face à un public de danseurs improvisés. Un moment de fête inoubliable…

Tous les dimanches de mai à septembre (selon la météo).

14

Pour le restaurant reportez-vous à la p. 99, quartier Westmount.

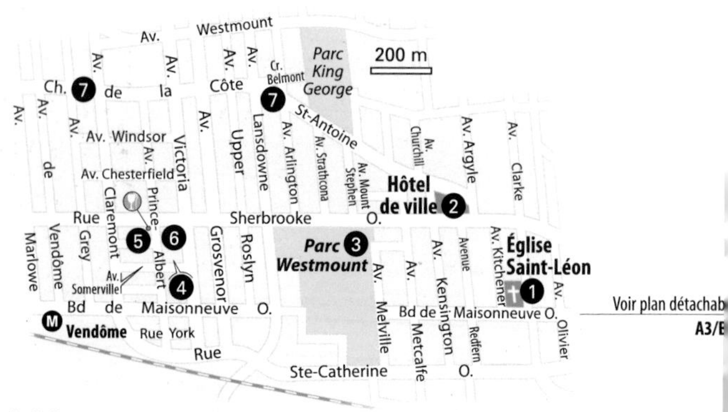

Voir plan détachab
A3/E

Westmount, un foyer indépendant

Fief de la bourgeoisie anglophone et véritable symbole de réussite sociale, Westmount est un havre de paix bordé de magnifiques demeures, à commencer par l'hôtel de ville et son allure de château hanté ! Devenu officiellement un arrondissement de Montréal il y a quelques années, ses citoyens ont massivement voté pour un retour à son indépendance… C'est dire si ce terrain est convoité !

❶ Église Saint-Léon★★

4311, bd de Maisonneuve Ouest
☎ (514) 935 4950
Lun.-ven. 9h-12h et 13h30-16h.

L'église Saint-Léon est la seule paroisse catholique de langue française de Westmount. La façade d'inspiration néoromane renferme une décoration intérieure de toute beauté réalisée entre 1928 et 1944 par Guido Nincheri. Cet artiste canadien, d'origine italienne, fut honoré par le Vatican comme un des plus grands artistes d'art religieux au monde ! Les fresques aux couleurs vives ont été réalisées selon la technique traditionnelle à l'œuf.

❷ Hôtel de ville★

4333, rue Sherbrooke Ouest.

On pourrait croire qu'il s'agit d'un château ou de la propriété d'un richissime homme d'affaires, et pourtant ce monument recouvert de lierre n'est autre que l'hôtel de ville. Ce magnifique bâtiment, de style néo-Tudor, est l'œuvre de l'architecte Robert Findley, à qui l'on doit également les autres édifices publics de la ville de Westmount.

❸ Parc Westmount★

Aménagé en 1895 sur un terrain marécageux, le parc de Westmount, en plus de

ses aires de jeux et de son petit bassin, abrite quelques curiosités architecturales comme le Victoria Hall (de même style que l'hôtel de ville) et la somptueuse bibliothèque municipale. Cette dernière, inaugurée en 1899 et de style néoroman, fut l'une des

premières au Québec. À ses côtés se trouve une serre de même époque où des expositions temporaires sont organisées.

❹ Farfelu Gallery★★

39, avenue Somerville
☎ (514) 488 3163
www.farfelugallery.com
Lun.-ven. 10h-18h, sam. 10h-17h.

Farfelu est une galerie atypique puisqu'elle est gérée en coopérative par les différents artistes qui y exposent leur travail. Du coup, des bijoux d'art côtoient de l'ébénisterie, de la céramique, du tournage sur bois, de la poterie, de la reliure d'art, de la joaillerie, de l'art textile ou encore de la sculpture. Un lieu riche en découvertes où la créativité n'a pas de limite.

❺ Bead It★★

4912, rue Sherbrooke Ouest
☎ (514) 481 4531
www.beadit.com
Lun.-ven. 10h-16h, sam. 10h-17h, dim. 12h-16h.

Les passionnées de bijoux artisanaux vont être heureuses avec cette boutique consacrée aux perles du monde entier, permettant de créer ses propres parures. Le choix est vaste : céramiques cylindriques grecques, perles d'argile, strass, nacres, médailles religieuses... Également un éventail de plumes et paillettes afin d'accessoiriser vos sacs, chaussures ou vêtements. Pour les moins habiles, une sélection de bijoux faits main est même proposée.

❻ Pretty Ballerinas★★

392, avenue Victoria
☎ (514) 489 3030
Lun.-ven. 10h-18h, sam. 10h-17h, dim. 12h-17h.

Comment transformer la simplicité d'une ballerine en œuvre d'art ? Ceci pourrait être le credo de cette boutique tant les modèles sont stylisés avec minutie. Fabriquées à la main à partir de matières éthiques sur l'île de Minorque en Espagne, ces petites chaussures sans talon peuvent s'avérer plus féminines que n'importe quelle paire d'escarpins !

❼ CHEMIN DE LA CÔTE-SAINT-ANTOINE★★

Aménagé en 1684 par les sulpiciens sur le tracé d'un ancien sentier amérindien, le chemin de la Côte-Saint-Antoine mène aux plus vieilles habitations de Westmount dont la plus ancienne, la maison Hurtubise, est située au n° 563. Construite en 1688 par Pierre Hurtubise, elle fut aussi surnommée la Haute Folie en raison de sa position excentrée qui la rendait vulnérable aux attaques indiennes. Tout au long de la côte, de somptueuses demeures bordent le chemin. Ouvrez grands les yeux et régalez-vous !

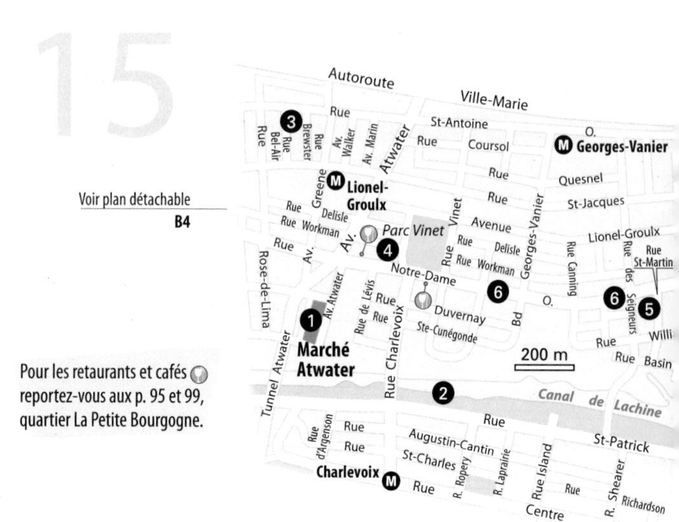

Voir plan détachable
B4

Pour les retaurants et cafés reportez-vous aux p. 95 et 99, quartier La Petite Bourgogne.

La Petite Bourgogne et les berges du canal de Lachine

La Petite Bourgogne (jadis terrain viticole) est un ancien quartier ouvrier. La proximité du canal lui donne un air de campagne décalée. On y vient pour flâner le long du canal, faire son marché ou chiner rue Notre-Dame. Une douce impression d'avoir quitté la ville, alors que son centre n'est qu'à deux pas…

❶ Marché Atwater★

138, avenue Atwater
☎ (514) 937 7754
Lun.-mer. 7h-18h, jeu.-ven. 7h-20h, sam.-dim. 7h-17h.

Construit en 1933 dans un style Art déco et idéalement situé près du canal de Lachine, ce charmant marché attire une foule de Montréalais. Les boucheries, fromageries et poissonneries sont situées à l'intérieur (le règlement interdisant, par souci d'hygiène, de vendre ces produits en extérieur), ainsi

que des épiceries fines et une délicieuse boulangerie. Dehors, les fruits et légumes côtoient une abondance de fleurs. Des couleurs et des odeurs à en perdre la tête !

❷ Canal de Lachine★★

Centre de service aux visiteurs de l'écluse de Lachine :
☎ (514) 364 4490
www.poledesrapides.com

Creusé entre 1821 et 1825 puis élargi entre 1840 et 1870, le canal de Lachine, reliant l'Atlantique aux Grands Lacs, était le plus long couloir de navigation intérieure au monde. Cependant, l'ouverture de la voie maritime du Saint-Laurent en 1959 entraîna sa fermeture définitive dix ans plus tard. Ce n'est que

depuis 2002 que le canal est rouvert à la navigation de plaisance. Le long de sa rive, une piste cyclable et pédestre de près de 15 km a été aménagée. Vous pouvez tout à fait louer des vélos à partir du Vieux-Port et vous rendre ensuite jusqu'au marché Atwater. Plus loin, la balade ne présente pas beaucoup d'intérêt et vous longez les zones industrielles et autres voies rapides. Des croisières à bord de *L'Éclusier* vous permettent de découvrir son histoire.

❸ Parisian Laundry★★★

3550, rue Saint-Antoine Ouest
☎ (514) 989 1056
www.parisianlaundry.com
Mar.-sam. 12h-17h.

Ne manquez pas les expositions installées dans cette ancienne laverie devenue une galerie d'art très prisée et un lieu phare du quartier ! Aménagés sur deux niveaux, les espaces, qui ont conservé leurs matériaux d'origine (briques, poutres, piliers...) sont vertigineux, très lumineux et donnent un petit côté industriel plein de charme à cette magnifique démonstration d'art contemporain. Une troisième petite salle d'expo, située au sous-sol, est surnommée le « bunker », c'est là que se trouvaient à l'époque les machineries. À voir !

❹ Itsi Bitsi★★

2621, rue Notre-Dame Ouest
☎ (514) 509 3926
www.itsi-bitsi.com
Mar.-mer. 11h-18h, jeu.-ven. 11h-19h, sam.-dim. 11h-17h.

Cette boutique de *cupcakes* est le lieu idéal pour une halte gourmande. Outre ces succulents petits gâteaux aux saveurs pittoresques (chocolat-gingembre, chocolat-wasabi, miel-lavande, betterave-chocolat blanc...), vous pourrez aussi vous délecter de glaces faites maison ou vous offrir gadgets et objets autour de la gourmandise dont la ravissante vaisselle de Shinzi Katoh.

❺ L'Atelier du Presbytère★★

1810, rue Notre-Dame Ouest
☎ (514) 448 1768
Mar.-sam. 10h30-17h.

Ne vous fiez pas à son nom, il ne s'agit ici nullement d'un presbytère, mais d'une ravissante boutique digne des plus belles maisons de campagne ou des greniers de nos grands-mères. Meubles en bois patinés, vaisselle dépareillée chinée ici ou ailleurs, objets de brocante... Mais aussi une belle ligne de linge de maison réalisé à partir d'anciens torchons, draps ou serviettes, qui font de très originaux sacs à linge dotés de messages rigolos : « sac à bisous », « sac à cauchemars » ou encore « sac à rêves ». Une belle idée cadeau ! (à partir de 18 $).

❻ LE QUARTIER DES ANTIQUAIRES

Même si cela tend malheureusement à disparaître, la rue Notre-Dame (entre Atwater et Guy) abrite encore quelques antiquaires et brocanteurs. La majorité des magasins proposent des meubles victoriens ou Art déco, mais vous rencontrerez aussi des spécialistes s'intéressant à tout autre style, comme l'art oriental ou l'art asiatique. Les amateurs d'objets rétro devront se rendre rue Amherst (M° Beaudry) pour trouver la pièce rare.

Rue Notre-Dame Ouest, entre les rues Atwater et Guy (après la rue Richmond).

16

Voir plan détachable
E2/F2-3

Pour le restaurant reportez-vous à la p. 95, quartier Autour du parc olympique.

Autour du parc olympique

Un peu excentré, ce secteur appartenant au quartier de Hochelaga-Maisonneuve fait partie des lieux incontournables à visiter. Un conseil : réservez une journée entière si vous souhaitez découvrir plusieurs sites... Vous pourriez vous perdre ne serait-ce que dans les sentiers du Jardin botanique !

1 Musée du château Dufresne★

2929, avenue Jeanne-d'Arc
☎ (514) 259 9201
www.chateaudufresne.qc.ca
Jeu.-dim. 10h-17h
Accès payant.

Cet hôtel particulier de style Beaux-Arts a été construit entre 1915 et 1918 par Marius Dufresne et l'architecte français Jules Renard, d'après le modèle du Petit Trianon de Versailles. Anciennement musée des Arts décoratifs (aujourd'hui situé au sein du musée des Beaux-Arts), le château Dufresne abrite un musée d'Histoire, un centre de diffusion en arts visuels et propose une visite de ses intérieurs peints par Guido Nincheri et décorés de ses meubles d'origine.

2 Jardin botanique★★★

4101, rue Sherbrooke Est
☎ (514) 872 1400
www.ville.montreal.qc.ca/jardin
Mar.-dim. 9h-17h (variable selon la saison, été 9h-21h)
Accès payant, permettant l'entrée à l'Insectarium
Voir « Zoom sur » p. 82.

Réparti sur 75 ha, le Jardin botanique est l'un des plus importants et des plus beaux au monde. Il abrite 22 000 variétés de végétaux, dix serres et une trentaine de jardins thématiques dont les somptueux jardin de Chine et jardin japonais. Les passionnés de nature découvriront avec plaisir la Maison de l'arbre, un centre permettant de découvrir la richesse forestière du Québec.

❸ Insectarium★★

4581, rue Sherbrooke Est
☎ (514) 872 1400
Mêmes conditions d'accès que le Jardin. Accès payant, permettant l'entrée au Jardin botanique.

Véritable lieu d'éveil, l'Insectarium vous sensibilisera au rôle essentiel des insectes dans l'équilibre écologique de la planète. Alors, mettez de côté vos phobies pour découvrir, comprendre (voire déguster !) ces bestioles venues du monde entier. Un espace Infozone permet d'explorer leur vie plus en détail.

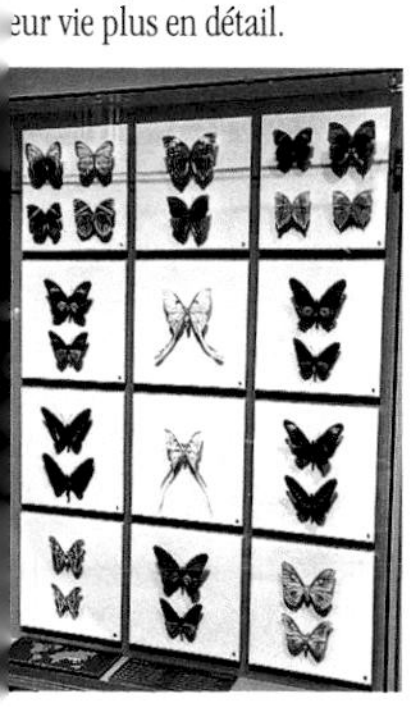

❹ Parc olympique★★★

4200, rue Viau (entrée principale)
☎ (514) 252 4737
www.rio.gouv.qc.ca
Mi-juin-fin août : t. l. j. 9h-19h ; début sept.-mi-juin : t. l. j. 9h-17h ; possibilité de visites guidées à partir de 10h (printemps-été) et de 11h (automne-hiver) Fermé tous les ans les 24-25 déc. et 5 janv.-13 fév. pour entretien Accès payant.

Construit pour recevoir les Jeux olympiques d'été de 1976 suivant les plans de l'architecte français Roger Taillibert, le parc regroupe un immense stade, un complexe sportif, ainsi que la célèbre tour de Montréal. Il s'agit de la plus haute tour inclinée du monde

s'élevant à 175 mètres avec un angle de 45° (l'angle de la tour de Pise n'est que de 5° !). À bord d'un funiculaire, vous pourrez vous rendre au sommet afin d'avoir une vue imprenable sur la ville.

❺ Biodôme★★★

4777, avenue Pierre-de-Coubertin
☎ (514) 868 3000
www.biodome.qc.ca
Lun.-mer. 8h-18h, jeu.-ven. 8h-21h, sam. 8h-18h, dim. 8h-17h
Accès payant.

Inauguré en 1992, le Biodôme est un espace unique qui recrée certains des plus beaux écosystèmes des Amériques : la forêt tropicale, la forêt laurentienne, le Saint-Laurent marin et le monde polaire de l'Arctique et de l'Antarctique. Vous découvrirez une multitude de plantes, d'animaux et de plans d'eau dans le climat correspondant aux milieux naturels présentés. Un véritable musée de l'environnement !

❻ Marché Maisonneuve★

4445, rue Ontario Est
☎ (514) 937 7754
Lun.-mer. 7h-18h, jeu. 7h-20h, ven. 7h-21h, sam. 7h-18h, dim. 7h-17h (ouv. jours fériés).

L'ancien bâtiment du marché, situé face à la rue Ontario, a été érigé en 1914 selon les plans de l'architecte Marius Dufresne (propriétaire du château cité ci-dessus). Cette œuvre, munie d'un ravissant dôme, fut considérée comme l'une de ses plus ambitieuses. Aujourd'hui le marché public est situé sur sa droite, au sein d'un espace plus moderne. Des producteurs régionaux y vendent leurs marchandises.

LE PLANÉTARIUM ARRIVE !

À compter de mai 2012, le Planétarium (voir p. 49) rejoint le quartier pour s'installer près du Biodôme. Pour plus d'infos, consulter le site www.planetarium.montreal.qc.ca

17

Voir plan détachable
D4-5/E4

Le parc Jean-Drapeau

Formé des îles Sainte-Hélène et Notre-Dame, le parc Jean-Drapeau, théâtre de nombreux événements spéciaux, offre quantité de loisirs sportifs et culturels. Natation, aviron, escalade, balade en canot ou en Pédalo, concerts, festival du Mérengué, courses de bateaux-dragons, patin à glace, compétition mondiale d'art pyrotechnique ou fête des Neiges… Ça sent bon les vacances !

❶ Île Sainte-Hélène★★★

☎ (514) 872 6120
www.parcjeandrapeau.com

C'est en l'honneur de son épouse, Hélène, que Samuel de Champlain baptise ainsi l'île en 1611. En 1820, afin de protéger le pays, l'armée anglaise y installe d'importantes fortifications. Puis, en 1874, l'île est transformée en parc public, dont la ville de Montréal deviendra propriétaire en 1908. L'aménagement du parc est alors confié à l'architecte paysagiste Frederick Todd. Aujourd'hui, au-delà de la Biosphère, du musée Stewart et de son parcours boisé, l'île possède plusieurs centres d'intérêt dont le pavillon des Baigneurs (complexe de piscines extérieures), la tour De Lévis (château d'eau d'inspiration médiévale), La Ronde (parc d'attractions), le restaurant chic Hélène de Champlain, sans oublier un formidable stabile du sculpteur Alexander Calder.

❷ Île Notre-Dame★★★

☎ (514) 872 6120
www.parcjeandrapeau.com

À la différence de sa grande sœur, l'île Notre-Dame est entièrement artificielle ! Conçue pour les besoins de l'Exposition universelle de 1967, sa construction a nécessité 28 millions de tonnes de roc et de terre récupérées lors des travaux d'excavation du métro montréalais. Parmi les sites à découvrir, le casino de Montréal, le circuit de Formule 1 Gilles-Villeneuve (qui accueille chaque année le Grand Prix du Canada), le bassin olympique (construit pour les besoins des Jeux de 1976), le jardin des Floralies et la ravissante petite plage de sable permettant baignade et détente durant les beaux jours d'été !

❸ Biosphère★★

160, chemin Tour-de-l'Isle, île Sainte-Hélène
☎ (514) 283 5000
www.biosphere.ec.gc.ca
Juin-oct. : t. l. j. 10h-18h ; nov.-mai : mar.-dim. 10h-18h
Fermé les 25-26 déc. et le 1er janv.
Accès payant.

Cet impressionnant dôme surréaliste, élaboré par l'architecte Richard Buckminster Fuller, est l'ancien pavillon américain de l'Expo 67. Aujourd'hui, il abrite un centre d'observation environnemental et un musée consacré à l'eau, tout particulièrement au fleuve Saint-Laurent et aux Grands Lacs. Les salles d'expositions thématiques et interactives en font un lieu à la fois ludique et éducatif.

❹ Musée Stewart★★

20, chemin Tour-de-l'Isle, île Sainte-Hélène
☎ (514) 861 6701
www.stewart-museum.org
Été : lun.-dim. 10h-18h

Hiver : mer.-lun. 10h-17h
Accès payant.

Installé dans l'ancien fort de l'île Sainte-Hélène et consacré à la découverte et l'exploration du Nouveau Monde, le musée Stewart retrace quatre siècles d'histoire par le biais de cartes géographiques, d'armes anciennes, d'instruments scientifiques et d'aide à la navigation. Été comme hiver, des animateurs costumés font revivre une ambiance d'époque.

❺ Casino de Montréal★

1, avenue du Casino, île Notre-Dame
☎ (514) 392 2746
www.casino-de-montreal.com
T. l. j. 24h/24
Interdit aux moins de 18 ans.
Travaux de rénovation jusqu'en 2012-2013. Le casino reste ouvert au public (pour plus de précision, se référer au site internet).

Le casino a été installé en 1993 dans les anciens pavillons de la France et du Québec de l'Expo 67. Le bâtiment principal, ancien pavillon français conçu selon les plans de l'architecte J. Faugeron, renferme un aménagement intérieur intéressant offrant une vue fabuleuse sur la ville. En plus de la multitude de salles de jeux, le Cabaret offre des spectacles en tout genre.

❻ NUANCES★★

Considéré comme une des meilleures tables de la ville, le restaurant Nuances offre une vue imprenable sur Montréal et le fleuve Saint-Laurent. Le chef Jean-Pierre Curtat propose une cuisine inventive et raffinée dans un décor élégant. Foie gras, homard et cerf font partie du menu… Attention, une tenue correcte est requise ! Plusieurs menus de dégustation sont proposés à partir de 95 $ sans le vin.

Casino de Montréal, 5e étage
☎ (514) 392 2708
www.casino-de-montreal.com
Mer.-jeu., dim. 18h-22h ven.-sam. 17h30-23h
À partir de 18 ans.

Voir plan sur le rabat arrière de la couverture.

Une balade en dehors de Montréal

Idéalement située, Montréal est à deux pas d'une quantité de sites permettant de s'évader de la ville et de renouer avec les charmes de la nature. Que vous soyez amateur de sport ou en quête de calme et de sérénité, offrez-vous une petite virée le temps de vous oxygéner. Certains de ces lieux sont même accessibles en transport en commun !

❶ Parc-nature de l'Île-de-la-Visitation★

2425, bd Gouin Est
M° Henri-Bourassa, puis bus 69 Est, arrêt rue de Lille
☎ (514) 280 6733
www.ville.montreal.qc.ca/grandsparcs

D'une superficie de 34 ha, ce parc offre la possibilité de profiter de la nature sans prendre la voiture ! Situé en bordure de la rivière des Prairies, ses nombreux sentiers permettent d'agréables promenades et la pratique du ski de fond en hiver (location d'équipement sur place). Deux bâtiments historiques se trouvent sur le site : la Maison du pressoir (ancien pressoir à cidre) et la Maison du meunier, un bistro-terrasse très romantique…

❷ La Sucrerie de la Montagne★★★

300, rang Saint-Georges, Rigaud (hors plan)
☎ (450) 451 0831
www.sucreriedelamontagne.com
Téléphonez ou consultez le site internet pour connaître les directions et les horaires (variables selon les saisons).

Située à 45 minutes de Montréal, la Sucrerie de la Montagne est un véritable petit village en pleine forêt ! Une authentique cabane à sucre, une boulangerie munie d'un four à bois, des maisonnettes (pour passer la nuit), une salle à manger dotée d'un immense foyer, le tout conçu dans du bois de grange. L'idéal reste de s'y rendre pendant le temps des sucres (voir p. 22), mais vous pouvez y déguster d'inoubliables festins traditionnels toute l'année. Dépaysement garanti…

3 Lieu historique ıational du commerce le la fourrure ı Lachine★★

255, bd Saint-Joseph, .achine
/I° Angrignon, puis bus 195 usqu'à la 12e av., à Lachine
☎ (514) 637 7433
vww.pc.gc.ca/
.l.j. 9h30-12h30 et 13h-17h horaires variables selon la aison), fermé de déc. à mars
Accès payant.

nstallé dans un entrepôt le 1803, sur les bords du lac Saint-Louis, ce centre relate 'histoire du commerce de la ourrure, longtemps reconnu omme moteur principal de 'économie du pays. Vous ourrez découvrir divers objets le traite et manipuler des allots de fourrures dans un adre ludique et agréable.

4 Ecomuseum★★

21125, chemin Sainte-Marie, Sainte-Anne-de-Bellevue
☎ (514) 457 9449
www.ecomuseum.ca
T.l.j. 9h-16h
Téléphonez ou consultez e site pour connaître e chemin d'accès
Accès payant.

L'Écomusée est un parc le près de 12 ha qui permet l'observer la faune et la lore dans leurs milieux naturels. Plus de 90 espèces sont représentées. Loin des zoos traditionnels, ce parc offre une proximité unique avec les animaux dans un cadre préservé.

5 Parc-nature du Cap Saint-Jacques★★

20099, bd Gouin Ouest
☎ (514) 280 6871
M° Côte-Vertu, puis bus 64 jusqu'au terminus Cartierville et bus 68 jusqu'à l'entrée du parc
www.ville.montreal.qc.ca/parcs-nature
Horaires variables en fonction des saisons et des activités
Accès payant pour la plage.

Avec ses 288 ha, ce parc est un des plus agréables de l'île. En plus de ses nombreuses pistes cyclables et de sa forêt, une plage de sable borde le lac des Deux-Montagnes. On voit aussi une cabane à sucre et une vaste ferme écologique dont les fruits et légumes sont en vente à la boutique.

6 Parc national des Îles-de-Boucherville★★

55, île Sainte-Marguerite, Boucherville
Accès en voiture
☎ (450) 928 5088
www.parcsquebec.com
Avr.-nov. : t. l. j. 8h-coucher du soleil ; déc.-mars : t. l. j. 8h-16h30
Loc. de vélos et raquettes sur place
Accès payant.

Constitué d'un ensemble d'îlots au milieu du fleuve Saint-Laurent, ce parc, situé à seulement quelques kilomètres du centre-ville, est un véritable joyau. Randonnée pédestre ou à vélo, observation d'oiseaux mais surtout balade en kayak ou canoë à travers chenaux et marais sont les activités les plus prisées. À noter aussi la présence d'une hutte amérindienne sur l'île de Grosbois.

7 LE SKI ALPIN

Le ski de fond vous ennuie ? Pas de panique, vous pourrez pratiquer votre sport de glisse préféré à seulement vingt minutes de Montréal ! Direction rive sud, au mont Saint-Bruno. Certes, ce ne sont pas les Alpes, mais pouvoir dévaler une pente en étant si proche du centre-ville, avouez que ça n'est tout de même pas mal ! Rens. : www.montsaintbruno.com ou www.sepaq.com, ☎ (450) 653 7544. Et si ce domaine ne vous suffit pas, le mont Tremblant, situé à 1h30 de route, devrait faire l'affaire ; rens. : www.tremblant.ca, ☎ (819) 688 2281.

Note importante : au mont Saint-Bruno tout comme à Saint-Sauveur, on peut faire du ski le soir.

L'oratoire Saint-Joseph

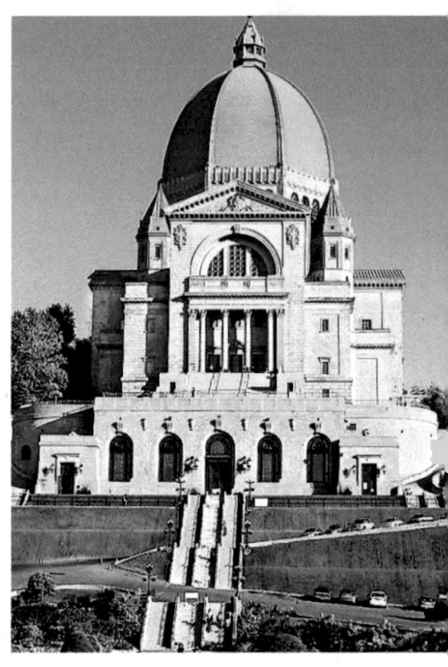

Installé sur le versant nord-ouest du Mont-Royal, l'oratoire Saint-Joseph, qui accueille deux millions de visiteurs chaque année, est un haut lieu de pèlerinage. Il faut gravir une centaine de marches pour se rendre à la crypte et pas loin de deux cents supplémentaires pour atteindre la basilique.

Le frère André

Son histoire est indissociable de celle de l'oratoire. Portier du collège Notre-Dame, il consacre sa vie à aider les personnes en souffrance en invoquant saint Joseph (saint patron du Canada). Plusieurs miracles se produisent et frère André fait ériger, en 1904, une chapelle en bois dédiée au saint. Cet édifice, devenu aujourd'hui la chapelle primitive, est le point de départ du complexe religieux ! Nécessitant toujours plus d'espace, la crypte est inaugurée en 1917. Ses vitraux, réalisés deux ans plus tard, représentent des épisodes de la vie de saint Joseph.

La basilique

L'intérieur de l'édifice s'élève à 60 m et le dôme en cuivre est le plus grand au monde après celui de Saint-Pierre de Rome. Cette œuvre majestueuse a été construite entre 1924 et 1967 selon les plans de Dalbé Viau et Alphone Venne. La décoration intérieure, très sobre, invite à la prière. Parmi les trésors du lieu : les statues sculptées en bois polychrome représentent les douze apôtres.

Le chemin de Croix

La visite de l'oratoire serait incomplète sans parcourir le chemin de Croix : un des plus beaux jardins secrets de Montréal ! Situé à gauche du complexe, sur les hauteurs de la montagne, ce lieu de méditation illustre par des sculptures le mystère de la Passion du Christ. Ces dernières ont été créées par Louis Parent entre 1943 et 1953, puis sculptées par Ercolo Barbieri entre 1952 et 1958. Elles sont en pierre naturelle de l'Indiana et en marbre de Carrare. Fait intéressant : le carillon situé à droite de la basilique devait être installé au sommet de la tour Eiffel.

COORDONNÉES

Oratoire Saint-Joseph
3800, chemin Queen-Mary (A2)
M° Côte-des-Neiges
☎ (514) 733 8211
www.saint-joseph.org
T. l. j. 7h-21h
Voir p. 67.

Le musée d'Art contemporain

Fondé en 1964 par le gouvernement du Québec, le musée d'Art contemporain n'est devenu une institution autonome qu'à partir de 1983 avec pour mission principale de faire connaître, promouvoir et conserver l'art contemporain de façon générale, et plus particulièrement l'art québécois.

Les expositions

Avec près de 7 000 œuvres, de 1939 à nos jours, la collection permanente constitue la plus importante collection d'œuvres d'art contemporain québécois. Du fait de cette richesse, les salles lui étant consacrées sont régulièrement repensées afin d'en alterner la présentation. Aux côtés de celles-ci, de vastes espaces sont dédiés aux expositions temporaires. Toujours grandioses, elles prennent en compte toutes les tendances les plus récentes telles les installations sonores ou la vidéographie.

Paul-Émile Borduas

Aujourd'hui reconnu pour ses peintures abstraites, Paul-Émile Borduas a pourtant mis du temps avant de rencontrer l'intérêt du public. Né en 1905 dans la région de Montréal, il devient, dès le début des années 1940, le chef de file des « automatistes », un mouvement qui prônait la spontanéité artistique visant à exprimer ses impulsions plutôt qu'à créer une œuvre figurative. Le travail de Borduas marqua un tournant dans l'histoire artistique du Canada. Le musée détient la plus importante collection de l'artiste avec 122 œuvres dont 72 tableaux.

La sculpture

Très présente, elle reflète tous les grands courants de la sculpture contemporaine avec des œuvres multiformes utilisant des matériaux aussi divers que le bois, le métal ou le plastique. L'immense totem en pin intitulé *Justice aux indiens d'Amérique* d'Armand Vaillancourt ou la *Tour sublunaire* d'Ivanhoé Fortier en sont de bons exemples. Ne manquez pas de visiter le jardin de sculptures et la belle boutique du musée.

COORDONNÉES

Musée d'Art contemporain
185, rue Sainte-Catherine Ouest (H6-7)
M° Place-des-Arts
☎ (514) 847 6226
www.macm.org
Mar.-dim. 11h-18h, jusqu'à 21h le mer., ouv. les lun. fériés
Accès payant sf mer. à partir de 18h
Voir p. 54.

Le musée des Beaux-Arts

Avec une collection de plus de 36 000 objets, allant de l'Antiquité à nos jours, le musée des Beaux-Arts de Montréal se place parmi les plus importants d'Amérique du Nord. Il renferme des peintures, des sculptures, des photographies, des œuvres graphiques, mais aussi des objets d'arts décoratifs.

Le pavillon Jean-Noël-Desmarais

Construit en 1991 et dessiné par l'architecte Moshe Safdie, ce pavillon est une œuvre remarquable qui a permis de doubler la superficie du musée. Ses nombreuses verrières offrent aux salles une grande luminosité et une vue sur le Mont-Royal. Au 2e étage, les sculptures d'Alexander Calder et de Wilhelm Lehmbruck sont exceptionnelles. Un réseau de salles souterraines, abritant les galeries des cultures anciennes, le relie au second bâtiment, le plus ancien, le pavillon Michal-et-Renata-Hornstein.

L'art canadien

Doté d'une collection exceptionnelle, le musée des Beaux-Arts offre aux visiteurs la possiblité de suivre le cours de l'histoire canadienne, depuis l'établissement de la Nouvelle-France jusqu'à nos jours, au travers de peintures, de sculptures et d'objets d'arts décoratifs. Ne manquez pas les tableaux du peintre paysagiste Marc Aurèle Fortin, un maître de l'aquarelle éponge et de l'aquarelle pure ! Toutes les œuvres consacrées à l'art canadien sont exposées dans le tout récent pavillon Claire-et-Marc-Bourgie.

XIXe et XXe siècles

Ces deux siècles sont largement représentés avec des tableaux impressionnistes de Monet, Cézanne ou Pissarro, et des œuvres plus récentes comme la *Tête d'un mousquetaire* de Picasso ou la sublime *Femme assise* de Matisse, sans oublier les sculptures de Giacometti ou de Lipchitz pour ne mentionner qu'eux. Et pour que la visite soit complète, attardez-vous un instant sur l'impressionnante collection d'arts décoratifs (comprenant 700 ans objets d'arts décoratifs couvrant six siècles de design !) situé dans le pavillon Liliane-et-David-M. Stewart, deux des plus grands donateurs de la collection.

COORDONNÉES

Musée des Beaux-Arts
1379 et 1380, rue Sherbrooke Ouest
(B3/C3)
M° Guy-Concordia
☎ (514) 285 2000
www.mbam.qc.ca
Mar. 11h-17h, mer.-ven. 11h-21h, sam.-dim. 10h-17h
Accès payant pour les expos temporaires (tarif réduit mer. à partir de 17h)
Voir p. 53.

Le centre d'Histoire de Montréal

Installé dans une ancienne caserne de pompiers datant de 1903, ce petit musée est une mine d'or pour toutes celles et tous ceux qui souhaitent se plonger dans l'histoire de Montréal ! Deux expositions permanentes distinctes offrent des regards croisés sur l'évolution et le quotidien de cette métropole québécoise.

Montréal en cinq temps

Aménagée au rez-de-chaussée du bâtiment, cette exposition permet de remonter le temps à travers cinq périodes marquantes de l'histoire, s'étalant de 1535 à nos jours. Chacune de ces époques est décryptée de façon ludique. Ce voyage offre une vision originale de Montréal, car il prend en compte les contextes économiques, architecturaux, sociaux et culturels qui sont les données essentielles pour comprendre une ville.

Une interactivité exemplaire !

En plus de sa qualité informative, la grande richesse de ce musée est incontestablement son interactivité. Tout a été mis en place pour restituer l'atmosphère de l'époque que vous parcourez : des bandes sonores avec ambiances de rues, musiques ou récits historiques, mais aussi des maquettes, des objets, des dessins et des images installés sur des panneaux muraux ou des colonnes triangulaires rotatoires. Et pour finir, chaque salle est dotée d'un quiz avec des questions-tests qui permettent d'approfondir ses connaissances tout en s'amusant !

Montréal aux mille visages

Située au 1er étage, cette exposition offre un autre regard sur la ville : celui de ses habitants. Plusieurs Montréalais, d'âge et de milieux socio-culturels différents, parlent de leur ville, des quartiers qui l'animent, des diverses ethnies qui s'y côtoient et de leurs expériences professionnelles. Ces témoignages sont diffusés sur des écrans vidéo installés au sein de plusieurs espaces de vie allant du bureau à la cuisine. Une mise en scène conviviale et originale.

COORDONNÉES

Centre d'Histoire de Montréal
335, pl. d'Youville (H8)
M° Place-d'Armes
☎ (514) 872 3207
www.ville.montreal.qc.ca/chm
Mar.-dim. 10h-17h
Accès payant
Voir p. 44.

Le Jardin botanique

Le Jardin botanique est un endroit rêvé pour les passionnés de nature et il est préférable de prévoir une journée entière si l'on souhaite tout voir. Fondé en 1931 par le frère Marie-Victorin, il reste un des sites les plus visités de la ville.

Les serres d'expositions

Situées près de l'entrée, elles sont une des vedettes du jardin. À travers une visite colorée, vous parcourez différents univers comme la forêt tropicale, la collection des orchidées et aracées (qui compte plus de 1 500 espèces !), le jardin céleste (dont une importante collection de *penjings*), la serre des bégonias, une hacienda mexicaine, sans oublier les plantes tropicales utilisées comme aliment ou médicament. La grande serre d'exposition, quant à elle, change régulièrement. Le bal des citrouilles organisé au moment d'Halloween est spectaculaire.

Le jardin de Chine

Inauguré en 1991, il demeure le plus grand du genre hors de Chine ! Inspiré des jardins privés de l'époque Ming, il a été entièrement conçu en Chine avant d'être expédié en pièces détachées puis reconstitué sur place. Sept pavillons entourent le « Lac de rêve » dans une formidable végétation de magnolias de Kobé, de bambous, de pivoines et de lotus. De septembre à Halloween, le jardin est ouvert le soir pour « La Magie des lanternes » avec plus de 750 lanternes.

Le jardin japonais

Étendu sur 2,5 ha, ce jardin thématique permet de découvrir la philosophie japonaise de l'aménagement du paysage, dans la plus pure tradition ! La pierre et l'eau, qui dominent l'espace, procurent un

sentiment de paix et de sérénité. Un vaste pavillon s'inspirant des demeures familiales traditionnelles propose diverses expositions ainsi qu'une initiation à la cérémonie du thé (en été). À voir aussi, une magnifique collection de bonsaïs (le plus âgé a 370 ans !) ainsi qu'un étonnant jardin de pierres.

COORDONNÉES

Le Jardin botanique
4101, rue Sherbrooke Est (E2/F2)
M° Pie-IX
☎ (514) 872 1400
www.ville.montreal.qc.ca/jardin
Mar.-dim. 9h-17h (variable selon la saison, été 9h-21h)
Accès payant
Voir p. 72.

_e parc du Mont-Royal

lus qu'un parc, le Mont-Royal est n symbole, un point de repère dans ville ; un lieu magique qui, du fait e sa hauteur, offre d'inoubliables anoramas... Un havre de paix que hérissent les Montréalais.

rederick Law Olmsted

é dans l'État du Connecticut 1822, Frederick Law lmsted, autodidacte, est architecte paysagiste le plus lèbre d'Amérique. Passionné ır la nature, il parcourt le onde et devient à 35 ans ırintendant de Central ark à New York, avant d'en evenir son architecte. Puis enchaînent de nombreux ojets d'envergure dont aménagement du Mont-oyal. Voulant préserver le ıarme naturel du lieu, il crée ı long chemin sinueux (qui orte aujourd'hui son nom) ermettant d'atteindre le point ılminant du parc tout en ofitant de la beauté du site.

'ne montagne e trésors...

: des belles choses à voir, y en a ! Avec plus de 0 000 arbres de 60 espèces fférentes, le parc du Mont-Royal est un véritable arboretum en pleine ville. Pins blancs, érables à sucre, tilleuls d'Amérique ou chênes rouges jalonnent les nombreux sentiers. Vous y découvrirez également plus de 150 espèces d'oiseaux, une quantité de plantes rares, comme l'ail des bois, et de nombreux petits mammifères : ratons laveurs, mouffettes...

La maison Smith

C'est ici que vous pourrez vous procurer toutes les informations sur les activités qu'offre le parc du Mont-Royal. Construite en 1858, la maison Smith, véritable vestige architectural, propose aussi une exposition permanente intitulée « Monte Real, Monreale, Mont Royal, Montréal ». Toute l'histoire concernant l'élaboration et la préservation de ce lieu mythique y est racontée.
1260, chemin Remembrance (à mi-chemin entre le lac aux Castors et le Chalet)
☎ (514) 843 8240
T. l. j. 9h-17h (jusqu'à 19h en fin de semaine et les jours fériés en été).

COORDONNÉES

Parc du Mont-Royal
(B2-3/C2-3)
M° Mont-Royal puis bus 11, direction ouest
☎ (514) 843 8240
www.lemontroyal.qc.ca
Voir p. 66.

Le Plateau Mont-Royal

Baptisé ainsi parce qu'il est surélevé par rapport au centre-ville, le quartier du Plateau compte parmi les plus branchés et convoités de Montréal. Ses étroites rues boisées et son atmosphère de village invitent à la flânerie.

La petite histoire

À la fin du XIXe s., les villages de Côteau-Saint-Louis, Saint-Jean-Baptiste et Saint-Louis-du-Mile-End constituaient ce périmètre aujourd'hui si courtisé. Ils avaient été aménagés pour accueillir des Québécois issus des campagnes et venus travailler dans les carrières et les tanneries avoisinantes. Les maisons dotées de balcons, terrasses et jardinets leur permettaient de retrouver un mode de vie proche du leur. Les ruelles situées à l'arrière des terrains formaient aussi un lieu de sociabilité.

Charme et curiosité

Le Plateau Mont-Royal prit sa forme actuelle au tournant du XXe s. Les habitats typiques de l'architecture montréalaise s'emparent du paysage. Il s'agit de maisons mitoyennes de deux ou trois étages, divisées en plusieurs appartements. Construites « en rangée », les maisons n'ont que deux côtés exposés au froid, et sont donc mieux isolées en hiver. Élément pittoresque du quartier : les escaliers extérieurs ! La municipalité impose aux constructeurs une marge de recul d'environ trois mètres par rapport à la bordure de la rue. Pour augmenter l'espace intérieur, les escaliers sont installés sur le trottoir. L'originalité tient à leurs formes et couleurs variées.

Flâner...

Architecture et ambiance sont ici fort agréables. Chaque rue a son charme : de la rue Fabre (voir p. 61), jusqu'à l'avenue Laurier pour son atmosphère de village, sans oublier le sublime parc La Fontaine et son air de campagne (voir p. 61).

COORDONNÉES

Plateau Mont-Royal
De la rue Sherbrooke au sud à l'avenue Laurier au nord, et du Mont-Royal à l'ouest jusqu'à l'avenue Papineau à l'est (C2-3/D2-3).
M° Sherbrooke, Mont-Royal et Laurier
Voir p. 60-61.

Pointe-à-Callière

C'est parce que le chevalier Louis Hector de Callière, troisième gouverneur de Montréal, y fit construire sa résidence en 1688, que le musée fut baptisé ainsi. En plus de ses richesses archéologiques, diverses expositions mettent en valeur le patrimoine de la ville.

L'architecture

Trois édifices constituent le musée. L'Éperon, bâtiment principal, a été édifié en 1992 au-dessus du lieu où la ville fut fondée 350 ans plus tôt. Sa tour et sa forme triangulaire rappellent la proue et la vigie d'un navire, affichant ainsi sa proximité avec le Vieux-Port. Bien qu'il s'agisse d'un édifice ultramoderne, sa sobriété s'harmonise parfaitement avec la vieille ville. Sa construction a permis à son architecte Dan S. Hanganu de remporter plusieurs prix d'architecture. Datant de 1836, puis agrandie en 1881, l'ancienne douane n'a pas changé. Elle abrite aujourd'hui des expositions et la boutique du musée (voir p. 125). La station de pompage Youville, élément important du patrimoine industriel, se trouve de l'autre côté (au n° 173).

La crypte archéologique

Située en dessous de la place Royale, elle renferme les vestiges des fortifications et des édifices bâtis aux XVIIe, XVIIIe et XIXe s. Le musée est né grâce à d'importantes découvertes archéologiques effectuées dans les années 1980. Plus de 1 000 ans d'activités humaines sont dans ces sous-sols, dont les traces du premier cimetière catholique de Montréal datant de 1643 ! Aux côtés de ces vestiges, vous découvrirez des maquettes présentant l'évolution de la place Royale, des objets historiques ainsi qu'une installation à propos de la place du Marché.

Un spectacle hors du commun

L'aspect virtuel ne s'arrête pas là ! Place à la féerie avec « Signé Montréal... », un spectacle époustouflant, retraçant l'histoire de la ville dans un décor théâtral marié aux nouvelles technologies. Confortablement assis dans une salle de conférences suspendue au-dessus des vestiges, laissez-vous emporter par ce formidable voyage dans le temps (durée : 18 min).

COORDONNÉES

Pointe-à-Callière
350, place Royale (H8)
M° Place-d'Armes
☎ (514) 872 9150
www.pacmusee.qc.ca
Mar.-ven. 10h-17h, sam.-dim. 11h-17h (été : ouv. lun., fermeture à 18h)
Accès payant
Voir p. 44.

Le Vieux-Port

Du fait de sa situation géographique, Montréal a toujours tenu un rôle portuaire important. Mais depuis 1976, son activité industrielle a été déplacée plus à l'est. Après plusieurs travaux de réaménagement, le Vieux-Port se destine aujourd'hui à la détente et aux loisirs.

Son histoire

Même si les premières installations portuaires remontent à 1763, ce n'est qu'à partir de 1830, peu de temps après l'inauguration du canal de Lachine et parallèlement au formidable développement industriel de la ville, que l'histoire du port a pris toute son ampleur. À la fin du XIXe s., on y aménage des quais, des hangars, des bassins et des silos à grains qui feront de Montréal la plaque tournante des transports maritimes au Canada.
En 1922, on construit la tour de l'Horloge en hommage aux marins disparus durant la Première Guerre mondiale. Elle est aujourd'hui l'emblème du Vieux-Port.

Sport et loisirs

Loin de son passé industriel, l'activité principale du Vieux-Port est à présent récréative ! La plupart des hangars ont été reconvertis en espace de loisirs, le fleuve est désormais le point de départ de nombreuses croisières et la promenade s'est dotée d'un agréable jardin.

En été, les vélos et les rollers s'emparent du lieu tandis qu'en hiver les foules se pressent au bassin Bonsecours, transformé en patinoire géante (location de matériel sur place) !

Le centre des Sciences

Ouvert en 2000, le centre des Sciences n'est pas un musée mais bien un complexe interactif de sciences et de divertissements. Destiné à toute la famille, il a pour mission d'éveiller le grand public à certaines technologies, au travers d'expositions thématiques, le tout en s'amusant. Vous trouverez également un cinéma IMAX dont la hauteur de l'écran équivaut à un immeuble de sept étages…
Quai King-Edward
☎ (514) 496 4724.

COORDONNÉES

Vieux-Port
M° Place-d'Armes ou Champ-de-Mars (I8)
www.quaisduvieuxport.com
Voir p. 45.

La basilique Notre-Dame

Construite entre 1672 et 1683, la première église Notre-Dame devra bientôt, faute d'espace, être remplacée. Du fait de sa prestance, la nouvelle basilique, érigée entre 1824 et 1829, va permettre à la religion catholique d'exprimer son importance face à la multiplication des églises protestantes.

L'intérieur

Si la basilique s'affirme déjà comme une prouesse architecturale, sa décoration intérieure, dirigée par l'architecte Victor Bourgeau, est grandiose. La prédominance du bois sculpté (dont la chaire faite de noyer noir est une merveille) et de la couleur donnent le ton. D'ailleurs, les voûtes turquoise constellées d'étoiles dorées, non sans rappeler celles de la Sainte-Chapelle à Paris, sont éblouissantes. À l'arrière se trouve un magnifique orgue Casavant datant de 1891. Il est composé de 7 000 tuyaux dont le plus haut s'élève sur 10 m !

Le chœur

Il s'agit d'un chef-d'œuvre. Loin de la sobriété dont font preuve certains édifices religieux, le chœur de la basilique s'affiche et brille de toute part... Peint puis doré à la feuille, le maître-autel est fait de noyer noir et les statues sont en pin. Elles évoquent l'Eucharistie, l'un des sept sacrements. Les six sculptures polychromes, installées de chaque côté de l'autel, sont en plâtre. Elles représentent les quatre évangélistes entourés de saint Pierre et de saint Paul.

La chapelle du Sacré-Cœur

Édifiée entre 1888 et 1891 pour célébrer les mariages, elle est partiellement détruite par un incendie en 1978. Sa reconstruction a permis d'allier le moderne et l'ancien avec grande ingéniosité. Admirez le magnifique maître-autel de bronze représentant les différentes étapes de la vie. Cette œuvre du sculpteur Charles Daudelin ne pèse pas moins de 20 tonnes ! À noter aussi, l'originalité des puits de lumière naturelle aménagés au-dessus de la voûte.

COORDONNÉES

Basilique Notre-Dame
110, rue Notre-Dame Ouest (H8)
M° Place-d'Armes
☎ (514) 842 2925
www.basiliquenotredame.ca
Lun.-ven. 8h15-16h30, sam. 8h15-16h, dim. 12h30-16h
Accès payant (sf pour les offices religieux)
Voir p. 46.

Séjourner mode d'emploi

Hôtels

Montréal dispose d'une offre hôtelière assez large pour satisfaire tous les goûts et toutes les bourses. De nombreuses chambres sont en effet réparties entre le centre-ville, où vous trouverez des établissements modernes de grand confort ainsi que les grandes chaînes internationales, le Vieux-Montréal, épicentre des auberges de charme et de prestige, et enfin, si vous préférez l'accueil personnalisé d'un gîte touristique (ou *bed & breakfast* en anglais), sachez qu'ils sont regroupés, pour la plupart, autour de la rue Saint-Denis, dans le Quartier latin ou dans le secteur du Plateau Mont-Royal. Pour répertorier les établissements, nous suivrons, dans ce guide, la classification traditionnelle ainsi établie :

★★★★★ : confort exceptionnel, aménagement haut de gamme, multitude de services et de commodités.
★★★★ : confort supérieur, aménagement de qualité remarquable, éventail de services et de commodités.
★★★ : très confortable, aménagement de qualité appréciable, nombreux services et commodités.
★★ : bon confort, aménagement de bonne qualité, quelques services et des commodités.

Réservations

Montréal accueillant de nombreux congrès et festivals, il est prudent de réserver votre chambre, surtout aux mois de juin et juillet durant les semaines du Festival international de Jazz et du festival Juste pour rire. Si vous êtes fumeur, pensez à le préciser lors de votre réservation.
En général, les hôtels possèdent beaucoup d'espaces non-fumeur, voire la totalité de leur bâtiment dans certains cas. Pour réserver, n'hésitez pas à contacter directement les hôtels. Ils proposent parfois des formules spéciales dont les prix peuvent être attractifs (notamment en basse saison, de novembre à avril). Vous pouvez également passer par l'office du tourisme qui propose

SE REPÉRER

Nous avons indiqué pour chaque adresse Séjourner sa localisation sur le plan général (B2, G8...). Pour un repérage plus facile en préparant votre week-end ou lors de vos balades, nous avons signalé sur le plan par un symbole jaune toutes les adresses de ce chapitre, sauf les hôtels. Le numéro en jaune signale la page où elles sont décrites.

AVIS AUX FUMEURS

Depuis mai 2006, il est strictement interdit de fumer dans tous les bars et restaurants de la ville.

les tarifs dégriffés tout au long de l'année ainsi que des Forfaits Passion qui offrent une seconde nuit à moitié prix (de janvier à mai) et une 3e nuit à moitié prix (de juin à novembre), forfaits valables dans certains établissements uniquement.

Tourisme Montréal
☎ (514) 873 2015
Ⓕ (514) 864 3838
www.tourisme-montreal.org

Tarifs

D'une manière générale, et compte tenu du taux de change entre le dollar canadien et l'euro, il n'est pas si cher de se loger à Montréal. À partir de 100 $ (même parfois moins), vous pouvez obtenir une chambre correcte et confortable dans un *bed & breakfast*. Le prix moyen d'une chambre d'hôtel est de 135 $. Attention cependant, les prix affichés sont, la plupart du temps, hors taxes. Il faut ajouter la taxe fédérale (TPS), qui est de 5 %, la taxe de vente du Québec (TVQ), qui est de 7,5 % ainsi que la taxe spécifique à l'hébergement qui équivaut à 2 ou 3 $ par nuit ou bien à 3 % du prix de la chambre par nuit avant le calcul de la TVQ et de la TPS. Sachez aussi que les prix indiqués dans le guide sont généralement définis pour une chambre double standard. Dans la plupart des établissements, le petit déjeuner est compris dans le prix, mais certains ne l'offrent qu'avec des chambres de qualité supérieure. Pensez donc à vous en assurer au préalable. Afin d'éviter toute surprise désagréable, pensez aussi à vous renseigner sur la facturation de vos appels téléphoniques.

Restaurants

Véritable reflet de sa population, Montréal compte plus de 80 types de cuisine venus du monde entier. Des restaurants bon marché côtoient des établissements de renom, comme Toqué! qui propose de la grande cuisine.

Les Québécois dînent tôt, dès 17h30 (ce qui est typique de l'Amérique du Nord), et, pendant l'hiver, certains restaurants peuvent fermer plus tôt, voire prendre un jour de congé supplémentaire. Pensez donc à vérifier ! Pour info, le petit déjeuner se dit « déjeuner », le déjeuner « dîner » et le repas du soir « souper ». Mais n'ayez crainte, les Montréalais sont plus qu'habitués à ces différences de langage ! Le midi, et parfois le soir, certains établissements proposent un menu à prix fixe communément appelé « table d'hôte ». Cette formule est bien pratique pour découvrir les restaurants qui sont coûteux à la carte ! Si vous voyagez en haute saison (mai-sept.), il est recommandé de réserver votre table pour souper.

Prix

Pour chaque restaurant, nous avons indiqué en guise d'information le prix moyen d'un plat principal ou de la spécialité lorsqu'il s'agit d'adresses spécifiques (bar à vins, sushis, pizzeria...). Nous vous rappelons que les prix inscrits au menu sont hors taxes. Vous devez leur ajouter la TPS et la TVQ ce qui augmente votre addition de 12,5 %. Enfin, le service n'étant pas compris, il vous incombe de l'ajouter. En général, il représente 15 % de l'addition, sans les taxes. Si vous payez par carte bancaire, il suffit d'ajouter cette somme directement sur le ticket à côté de la mention « pourboire » ou *tip* en anglais. Si vous payez en espèces, laissez le montant du pourboire sur la table.

APPORTER SON VIN

Si certains restaurants ne possèdent pas de permis pour vendre de l'alcool, ils sont, en revanche, autorisés à laisser les clients apporter le leur. En général, un panneau « apportez votre vin » est affiché. Cette pratique est courante à Montréal et vous permet de payer moins cher votre bouteille de vin !

Hôtels

Les prix que nous indiquons sont une moyenne entre les prix haute et basse saison et les tarifs semaine et week-end. Les promotions et les bonnes affaires sont fréquentes et ce quelle que soit la période. Pour bénéficier du meilleur tarif, allez en priorité sur le site de l'hôtel choisi. Vous pouvez également consulter le site tourisme-montreal.org, qui propose tout au long de l'année des promotions, forfaits et tarifs avantageux sur une grande quantité d'hôtels.

Vieux-Montréal du côté Est

Celebrities Hotel Montréal★★

1095, rue Saint-Denis (I7)
M° Champ-de-Mars
☎ (514) 849 9688
De 85 $ à 99 $.

Soigné et coloré avec pour thématique le cinéma.

Auberge du Vieux-Port★★★★

97, rue de la Commune Est (I8)
M° Champ-de-Mars
☎ (514) 876 0081
F (514) 876 8923
www.aubergeduvieuxport.com
De 159 $ à 295 $.

Le charme du Vieux-Montréal avec vue sur le Saint-Laurent !

Vieux-Montréal du côté Ouest

Les Passants du Sans Soucy★★★

171, rue Saint-Paul Ouest (H8)

M° Place-d'Armes
☎ (514) 842 2634
F (514) 842 2912
www.lesanssoucy.com
De 120 $ à 250 $.

Murs en pierre, poutres apparentes, meubles de brocante, une douceur rustique…

Autour de la rue Sainte-Catherine

Manoir Ambrose★★

3422, rue Stanley (G6)
M° Peel
☎ (514) 288 6922
F (514) 288 5757
www.manoirambrose.com
De 95 $ à 150 $.

Une sympathique maison victorienne transformée en petit hôtel de charme.

Mille Carré Doré

Hôtel Y de Montréal★★★

1355, bd René-Lévesque Ouest (B4/C4)
M° Lucien-L'Allier ou Guy-Concordia
☎ (514) 866 9942
www.ydesfemmesmtl.org
De 75 $ à 95 $.

Une adresse économe au cœur du centre-ville.

Le Nouvel Hôtel★★★★

1740, bd René-Lévesque Ouest (B4)
M° Guy-Concordia
☎ (514) 931 8841
F (514) 931 5581
www.lenouvelhotel.com
De 129 $ à 300 $, petit déjeuner inclus en fonction du prix de la chambre.

Piscine extérieure, fitness et salon de coiffure au cœur d'un hôtel au très bon rapport qualité/prix.

La « Main »

Casa Bianca★★★

4351, avenue de l'Esplanade (C2)
M° Mont-Royal
☎ (514) 312 3837
www.casabianca.ca
De 129 $ à 269 $.

Une maison d'hôtes très raffinée face au parc du Mont-Royal.

Quartier des spectacles

Abri du Voyageur★★

9, rue Sainte-Catherine Ouest (H7)
M° Saint-Laurent
☎ (514) 849 2922
www.abri-voyageur.ca
De 50 $ à 90 $.

Des chambres vastes et lumineuses au cœur d'un quartier en pleine expansion.

Hôtel La Tour Centre-Ville★★★

400, bd René-Lévesque Ouest (H7)
M° Place-des-Arts

☎ (514) 866 8861
www.hotelcentreville.com
De 80 $ à 160 $.

Des chambres-studios à deux pas de la place des Arts.

Du Quartier latin au Village

Auberge Le Jardin d'Antoine★★★

2024, rue Saint-Denis (I6)
M° Berri-UQAM
☎ (514) 843 4506
Ⓕ (514) 281 1491
www.hotel-jardin-antoine.qc.ca
De 107 $ à 170 $.

À proximité des bars, restaurants et boutiques de la rue Saint-Denis.

À la Maison de Pierre et Dominique★★★

271, square Saint-Louis (C3/D3)
M° Sherbrooke
☎ (514) 286 0307
www.bbcanada.com/928.html
De 110 $ à 120 $.

Une situation privilégiée au sein de l'une des prestigieuses maisons du square Saint-Louis.

Alexandre Logan★★★★

1631, rue Alexandre-de-Sève (D3)
M° Beaudry
☎ (514) 598 0555
www.alexandrelogan.com
De 90 $ à 150 $.

Une des plus romantiques adresses de Montréal située au cœur du Village.

Angelica Blue Bed & Breakfast★★★★

1213, rue Ste-Elizabeth (I7)
M° Berri-UQAM
ou Champ-de-Mars
☎ (514) 844 5048
Ⓕ (514) 448 2114
www.angelicablue.com
De 85 $ à 155 $.

Au côté des cinq chambres, une cuisine équipée est à disposition.

Couette et Café Cherrier★★★★

522, rue Cherrier (D3)
M° Sherbrooke
☎ (514) 982 6848
www.cccherrier.com
De 80 $ à 105 $.

Un salon avec cheminée et une belle terrasse viennent agrémenter ce gîte situé près du parc La Fontaine.

Hôtel Gouverneur Place Dupuis★★★★

1415, rue Saint-Hubert (D3)
M° Berri-UQAM
☎ (514) 842 4881
Ⓕ (514) 842 8899
www.gouverneur.com
De 149 $ à 390 $, petit déjeuner inclus en fonction du prix de la chambre.

Idéalement situé avec piscine intérieure, fitness et une vue imprenable sur le centre-ville.

Plateau Mont-Royal

Anne Ma Sœur Anne★★

4119, rue Saint-Denis (C3)
M° Sherbrooke
ou Mont-Royal
☎ (514) 281 3187
www.annemasoeuranne.com
De 80 $ à 130 $.

Magnifiques chambres-studios au cœur du Plateau !

Auberge de La Fontaine★★★

1301, rue Rachel Est (D2)
M° Mont-Royal
☎ (514) 597 0166
Ⓕ (514) 597 0496
www.aubergedelafontaine.com
De 120 $ à 295 $.

Petite auberge de charme face au parc La Fontaine.

Le Rayon Vert★★★

4373, rue Saint-Hubert (D2)
M° Mont-Royal
☎ (514) 524 6774
www.lerayonvert.ca
De 88 $ à 95 $.

À deux pas de la rue du Mont-Royal, ce gîte est doté d'une belle terrasse jardin.

AUBERGE-RESTAURANT PIERRE DU CALVET★★★★

Les murs lambrissés de tapisseries, les boiseries anciennes, les antiquités et le marbre des salles de bains font de cette auberge, datée de 1725 et composée de neuf chambres, un lieu prestigieux, idéal pour un séjour à Montréal. Le petit déjeuner est servi dans une très belle serre victorienne et l'établissement possède également un restaurant haut de gamme considéré comme une des meilleures tables de la ville. Les fins gourmets seront ravis !

405, rue Bonsecours (I8)
M° Champ-de-Mars
☎ (514) 282 1725
Ⓕ (514) 282 0456
www.pierreducalvet.ca
De 265 $ à 295 $.

Restaurants

1 - M:brgr
2 - Au Pied de cochon
3 - Au Pied de cochon
4 - Boris Bistro

Vieux-Montréal du côté Est

Auberge Le Saint-Gabriel

426, rue Saint-Gabriel (C4)
M° Champ de Mars, bus 361 ou 514
☎ (514) 878 3561
www.lesaint-gabriel.com
Mar.-ven. 11h30-15h et 18h-22h30, sam. 18h-22h30
Plat principal : env. 32 $; table d'hôte (midi) : env. 23 $.

Si vous souhaitez vous offrir une grande table qui saura surprendre votre palais sans faire de minauderies, voici votre adresse ! Le Saint-Gabriel offre la chaleur et la rusticité d'une auberge traditionnelle mêlées au savoir-faire d'un grand restaurant. Pour un voyage culinaire hors pair, nous vous conseillons vivement l'entrecôte de bœuf, vieillie 30 jours, cuite à la cheminée dont la tendreté est telle qu'elle se coupe à la fourchette ! Second coup de chapeau à la table d'hôte du midi qui permet de déguster un menu de gastronome à moindre coût. De 18h à 22h30, il est également possible de dîner sur le pouce autour du bar (assiette de fromages, pissaladières…).

Stuzzichi

358, rue Notre-Dame Est (D4)
M° Champ-de-Mars, bus 14 ou 515
☎ (514) 759 0505
www.stuzzichi.com
Lun.-ven. 11h-23h, sam.-dim. 18h-23h
Plat principal : env. 20 $.

Un peu excentré du parcours touristique classique, Stuzzichi propose une cuisine italienne fine et savoureuse dont certains plats offrent un excellent rapport qualité-prix comme les délicieuses pâtes fraîches farcies à la ricotta accompagnées d'une sauce à la truffe (15 $). C'est un lieu calme et coquet qui fait également office de café et d'épicerie. Profitez-en !

Vieux-Montréal du côté Ouest

Boris Bistro

465, rue McGill (H8)
M° Square-Victoria, bus 61 ou 75
☎ (514) 848 9575
www.borisbistro.com
Été : lun.-ven. 11h-23h, sam.-dim. 12h-23h ; hiver : lun.-ven. 11h30-14h, mar.-ven. 17h-23h, sam. 18h-23h
Plat principal : env. 19 $.

Durant les belles journées, on se rue chez Boris Bistro pour sa sublime terrasse extérieure coupée de la rue grâce à une vaste façade en pierre. L'endroit idéal pour déjeuner ou dîner en tête à tête ! La cuisine y est simple mais originale avec, par exemple, un nem au foie gras en entrée (13 $). L'intérieur est tout aussi convivial. Pensez à réserver le week-end.

Au pied de la cathédrale

Taverne Dominion

1243, rue Metcalfe (G7)
M° Peel ou Bonaventure
☎ (514) 564 5056
www.tavernedominion.com
Lun.-ven. 11h30-minuit, sam. 17h-minuit
Plat principal : env. 20 $.

La Taverne Dominion est une brasserie très populaire réputée aussi bien pour sa cuisine que pour sa déco (ne manquez surtout pas les toilettes !). Moules frites au cidre et bacon, *short rib* de bison, *fish and chips*, la carte se veut résolument anglo-saxonne. À tester : la *Ploughman's* (l'assiette du travailleur) composée de viande ou de poisson accompagné de crudités, de vieux cheddar, de fruits et d'œuf mimosa, un régal !

Autour de la rue Sainte-Catherine

Le Commensal

1204, av. McGill College (G7)
M° McGill, bus 15 ou 358
☎ (514) 871 1480
www.commensal.com
T. l. j. 11h30-22h
Prix au poids : de 15 à 20 $/kg pour une grande assiette.

Que les végétariens se rassurent, voici une chaîne de restaurants qui leur est consacrée. Aménagé sous forme de buffet, vous pourrez grignoter, à toute heure de la journée, des quiches, des salades, des poêlées de légumes ou des mijotés de tofu. La sélection de desserts est très réputée et même les mangeurs de viande repartiront rassasiés !

Mille Carré Doré

M:brgr

2025, rue Drummond (C3)
M° Peel, bus 15
☎ (514) 906 2747
www.mbrgr.com
Lun.-jeu. 11h30-23h, ven.-sam. 11h30-minuit, dim. 12h-22h
Burger : env. 17 $.

Voici un restaurant qui a su transformer le hamburger en art. À un sandwich classique (dont le bœuf est biologique et le pain peut être à la farine complète), vous ajoutez des ingrédients goûteux et inattendus de votre choix, comme du bacon fumé au bois de pommier, des asperges vertes, de l'ananas ou

des pleurotes grillées, ou bien du chèvre ou des oignons caramélisés. En dessert, ne ratez surtout pas le biscuit géant aux pépites de chocolat juste sorti du four et servi chaud dans un mini poêlon. Un vrai régal !

La « Main »

Marché 27

27, rue Prince-Arthur Ouest (C3)
M° Sherbrooke, bus 55 ou 363
☎ (514) 287 2725
www.marche27.com
Lun.-mer. et dim. 11h-22h, jeu.-sam. 11h-23h
Plat principal : env. 17 $.

Le Marché 27 est un bar à tartare dont le menu propose une multitude d'assaisonnements fort originaux. Vous choisissez votre base (thon, saumon, bœuf, canard ou cerf) puis vous y ajoutez, par exemple, le mélange « Thai » (coriandre, huile à la citronnelle, citron vert, échalotes) ou le « Japonais » (flocons de tempura, soja, wasabi, échalotes) ou encore l'« Ancien », un mélange traditionnel de moutarde en grains, raifort, cornichons et échalotes. Quelques plats s'ajoutent à la carte pour les non-amateurs de viande crue.

Du Quartier latin au Village

Mikado

1731, rue Saint-Denis (I6)
M° Berri-UQAM
☎ (514) 844 5705
www.mikadomontreal.com
Déjeuner : jeu.-ven. 11h30-14h ; dîner : dim.-lun. 17h30-22h, mar.-jeu. 17h30-22h30, ven.-sam. 17h30-23h
Plat principal : env. 20 $; rouleau de maki : env. 6 $.

MAIS AUSSI

- **Le Cabaret du Roy** (p. 43)
- **Toqué!** (p. 47)
- **Altitude 737** (p. 49)
- **Schwartz's** (p. 57)
- **Au Pied de cochon** (p. 60)
- **Milos** (p. 65)
- **Nuances** (p. 75).

Une adresse incontournable si vous appréciez les sushis. Considéré, à juste titre, par les Montréalais, comme un des meilleurs de la ville, ce restaurant japonais propose un large choix de sushis et de makis particulièrement créatifs. Sa spécialité : allier des saveurs de poissons crus et de tempuras relevés d'une sauce douce et parfumée tout simplement irrésistible ! La carte propose également de nombreux plats pour les non-adeptes de poisson cru.

L'Indépendent

1330, rue Sainte-Catherine Est (D3)
M° Beaudry, bus 15 ou 358
☎ (514) 523 8471
www.restolindependent.com
Mar.-ven. 11h-15h et 17h-23h, sam.-dim. 17h-23h
Plat principal : env. 2 $ table d'hôte (midi) : env. 12 $.

Avec des associations de saveurs à en mettre plein les papilles, ce petit resto de quartier est sans doute une des meilleures tables du Village. Osso bucco de cerf, lentilles et foie gras ou risotto de courges avec caille, thym et parmesan, tout est bon et bien servi. Et la table d'hôte du midi constitue sûrement un des meilleurs rapports qualité-prix de la ville ! Si vous y allez l'été, vous profiterez en plus de sa vaste terrasse étendue sur la portion piétonne de la rue.

Plateau Mont-Royal

La Cantine

212, avenue du Mont-Royal Est (D2)
M° Mont-Royal, bus 11 ou 368
☎ (514) 750 9800
www.lacantine.ca
Mar.-ven. 11h-22h30, sam. 9h-22h30, dim. 9h-15h
Plat principal : env. 18 $
Table d'hôte le mar. et le mer. soir : 18 $.

Au sein d'une déco pop années 1970,vous dégusterez ici de bons plats aux saveurs québécoises qui tiennent au corps. Le mariage sucré-salé, finement dosé, constitue l'essentiel de la carte qui se réinvente à chaque saison. En guise d'aperçu : le club sandwich au canard à base de canard confit et de mayo à l'orange ou les travers de porc au gingembre et à l'ail. Également une excellente carte de brunch (sam. et dim. de 9h à 15h) dont l'originalité des plats débute par leur nom « Mange tes croûtes », « l'Omelette qui bouche un coin-coin », « le Calice de yogourt », « la Totale »... On vous laisse découvrir !

Chez Doval

150, rue Marie-Anne Est (C2)
M° Mont-Royal, bus 11 ou 368
☎ (514) 843 3390
www.chezdoval.com
T. l. j. 11h-23h
Plat principal : env. 15 $.

L'endroit est idéal pour passer une soirée animée et chaleureuse entre amis. Chez Doval est un restaurant portugais spécialiste des grillades au charbon de bois. Viandes et poissons (le poulet braisé est la star du menu !) rôtissent derrière le comptoir diffusant une odeur alléchante dans toute la salle. Et quand la fête bat son plein, il arrive que le cuisinier sorte sa guitare... Un moment inoubliable !

Petite Italie

Bottega Pizzeria

65, rue Saint-Zotique Est (C1)
M° Beaubien, bus 18
☎ (514) 277 8104
www.bottega.ca
Mar.-dim. 17h-minuit
Pizza : env. 16 $.

C'est au cœur de la Petite Italie que s'est installée cette véritable pizzeria italienne qui, dans un décor sobre et élégant, propose quantité de pizzas absolument succulentes ! Des classiques bien sûr comme la *Romana* aux anchois mais aussi quelques spécialités comme la *Tronchetto*, une pizza farcie au fromage, jambon de Parme et roquette. La carte des vins est tout aussi riche et les glaces sont faites maison. Une très belle adresse !

Outremont / Mile End

Robin des Bois

4653, bd Saint-Laurent (C2)
M° Mont-Royal, bus 18
☎ (514) 288 1010
www.robindesbois.ca
Lun.-ven. 11h-22h, sam. 17h-22h (fermé l'été)
Menu : 30 $; plat principal : env. 17 $; menu enfant : 6 $.

Robin des Bois est un resto bienfaiteur à but non lucratif dont les serveurs sont bénévoles et les profits redistribués à des organismes de charité. Un beau concept qui ne néglige pas pour autant l'espace ni le menu, avec une déco contemporaine, colorée et conviviale (la cuisine ouverte y est pour beaucoup) et une carte proposant des plats succulents en portions très généreuses. Exemple : tajine de mérou à la *chermoula* (pommes de terre fondantes aux épices, olives et citrons confits), une belle réussite !

1 - Chez Doval
2 - Chez Doval
3 - Robin des Bois

Les Enfants Terribles

1257, avenue Bernard (C2)
M° Outremont, bus 160 ou 368
☎ (514) 759 9918
Lun.-ven. 11h30-minuit, sam. 9h30-minuit, dim. 9h30-22h (sam.-dim. : brunch servi jusqu'à 16h)
Plat principal : env. 18 $.

Dans un cadre design mais chaleureux (toute la décoration est en bois !), ce restaurant de quartier vous promet une soirée des plus réussies. Installé au bar ou assis derrière une belle table rustique, vous dégusterez des plats typiques de brasserie revus par le chef, comme par exemple le pâté chinois à la joue de bœuf braisée (env. 15 $). Chaque jour, la carte propose un plat du jour de viande, un de poisson et un de pâtes. Un délice…

La Petite Bourgogne

Restaurant Limon

2472, rue Notre-Dame Ouest (B4)
M° Lionel-Groulx, bus 36
☎ (514) 509 1237
www.limon.ca
Lun.-ven. 11h-23h, sam.-dim. 17h-23h
Plat principal : env. 18 $.

Le Limon se consacre à la cuisine fine mexicaine au sein d'un décor coloré et contemporain. Quelques tables en terrasse se situent dans la cour arrière du restaurant. La carte, remarquablement variée, propose des plats savoureux dont les épices savamment dosées permettent un voyage culinaire fort agréable. Nous vous recommandons les fajitas, absolument délicieuses ! Une adresse à découvrir avec plaisir…

Autour du parc olympique

Le Valois

25, place Simon-Valois (angle 3809 Ontario) (E3)
M° Pie-IX ou Joliette, bus 125 ou 355
☎ (514) 528 0202
www.levalois.ca
Lun.-dim. 8h-23h
Plat principal : env. 20 $; table d'hôte (midi) : env. 16 $.

Avec le Valois, ce quartier en pleine expansion se pare d'une très bonne table au sein d'un espace résolument moderne et coloré. L'immense terrasse extérieure attire également les foules dès les beaux jours venus. Au menu, des plats traditionnels de brasserie fort bien servis. La table d'hôte du midi est une très bonne alternative avant d'aller parcourir le Jardin botanique (situé à 15 min à pied).

Sur le pouce

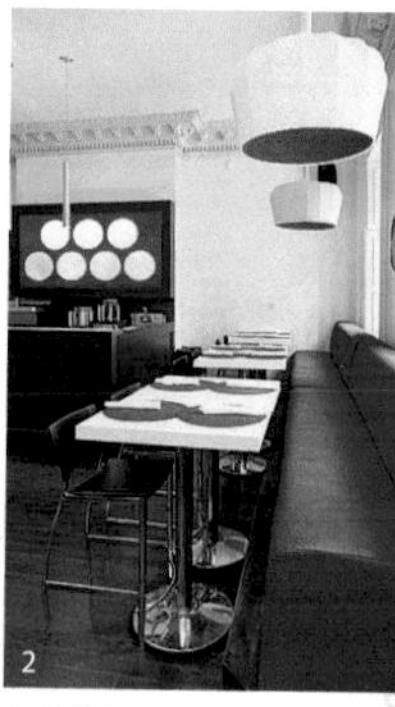

1 - Café Santropol
2 - Phillips Lounge
3 - Olive+Gourmando

Vieux-Montréal du côté Ouest

Olive+Gourmando

351, rue Saint-Paul Ouest (H8)
M° Square-Victoria, bus 61 ou 75
☎ (514) 350 1083
Mar.-sam. 8h-18h
Sandwich : env. 8-10 $; salade : env. 9 $.

Cette boulangerie-café est un incontournable du Vieux-Montréal. Quelques tables délimitent le coin « pains et gâteaux » du comptoir repas. Au menu, des sandwichs aux saveurs inattendues (truite fumée/tomates séchées, chèvre/oignons caramélisés...), des soupes, des salades et autres assiettes variées. Gardez une place pour les desserts, ils valent le détour !

Cluny Art Bar

257, rue Prince (H8)
M° Square-Victoria, bus 61
☎ (514) 866 1213
Lun.-ven. 11h-16h
Déjeuner : env. 9-13 $.

Attenant à la Fondation Darling (voir p. 45), le Cluny Art Bar vous accueille au sein d'une déco industrielle très tendance (immense tables de récup, hauts plafonds, tuyauterie apparente...) pour déguster de délicieux plats du jour, sandwichs, soupes ou salades servis en portions plus que généreuses ! Magazines et journaux sont à disposition pour les voyageurs solitaires...

Muvbox

Place du Génie, quais du Vieux-Port (angle des rues McGill et Commune – H8)
M° Square-Victoria, bus 61, 75 ou 515
www.muvboxconcept.com
T. l. j. 11h30-21h de mai à fin sept. en fonction de la météo
Sandwich : env. 9 $
Pizza : env. 11 $.

Impossible de passer à côté de ce concept atypique (et écologique !) : la Muvbox est un resto portatif venu enrichir les quais du Vieux-Port aussi bien par sa singularité (un conteneur portuaire se transformant en moins d'une minute en resto tout équipé) que par sa carte dominée par le homard des îles. En sandwich, sur une pizza ou en marmite, vous pourrez le savourer attablé face au fleuve.

Rue Saint-Jacques

Eggspectation

201, rue Saint-Jacques Ouest (H8)
M° Place-d'Armes, bus 55 ou 129
☎ (514) 282 0119
www.eggspectation.com
Lun.-ven. 6h-15h, sam.-dim. 7h-16h
Déjeuner : env. 10-15 $.

Avec une ambiance typiquement américaine, Eggspectation fait partie des lieux les plus fréquentés pour le brunch de fin de semaine. Des œufs à ne plus savoir où donner de la tête, mais aussi une grande sélection de gaufres et de pancakes ; rien de bien raffiné mais une tradition nord-américaine à ne pas manquer. Tentez un *Waffle Benedict* ou le classique *Uneggspected* !

Au pied de la cathédrale

Phillips Lounge

1184, place Phillips (G7/H7)
M° McGill, bus 15 ou 515
☎ (514) 871 1184
www.phillipslounge.com
Lun.-ven. 11h-14h30 et 16h-minuit
Formule trio (soupe/salade/demi-sandwich) : env. 10 $.

Le Phillips Lounge est un bar-salon et galerie d'art très fréquenté le soir servant désormais des déjeuners rapides le midi et c'est une bien bonne nouvelle ! Situé en plein centre-ville (à deux pas du magasin La Baie), il est une heureuse alternative aux chaînes de restauration rapide du quartier. Dans une déco très contemporaine, vous dégusterez sandwich frais (rosette de Lyon, saumon fumé, pan bagnat, etc.), soupes, salades ou plat du jour délicieux.

Mille Carré Doré

Green

1408, rue Drummond (C3)
M° Peel, bus 15 ou 107
☎ (514) 903 3344
www.greencafe.ca
Lun.-ven. 7h-18h, sam.-dim. 10h-16h
Salades, sandwichs, omelettes : env. 8 $.

Green est un petit café luxueux et très design offrant une cuisine rapide, raffinée et peu onéreuse au vu de la qualité des produits et du quartier. Salade au magret de canard, sandwich au *portabello* et *bocconcini*, *foccacia* au poulet, champignons et poireaux ou de succulents œufs mollets servis avec jambon et pain grillé, tout est frais et délicieux !

Quartier des spectacles

MBCo

Complexe Desjardins
150, rue Ste-Catherine Ouest (H7)
M° Place des Arts, bus 15 ou 358
☎ (514) 845 8887
www.mbco.ca
Lun.-mer. 9h30-18h, jeu.-ven. 9h30-21h, sam. 9h30-17h, dim. 12h-17h
Sandwich : de 5 à 13 $
Salade : de 7 à 13 $
Pizza : env. 10 $.

Derrière ce nom curieux (MBCo est le raccourci de My Bakery Company) se cache une délicieuse boulangerie montréalaise proposant des produits goûteux et raffinés inspirés des saveurs culinaires « à l'européenne ». Parmi les incontournables : l'omelette rôtie au four avec jambon au romarin et asperges, ou la pita au poulet et brie, rôtie au four, servie avec tomates cerises, poireaux et herbes fraîches. À manger sur place ou à emporter.

Hoang Oanh

1071, bd St-Laurent (I7)
M° Place-d'Armes, bus 55
☎ (514) 954 0053
T. l. j. 11h-15h
Sandwich : env. 4 $.

Difficile de trouver moins cher que ce minuscule comptoir vietnamien qui réalise à l'heure du déjeuner divers sandwichs traditionnels (*banh mi*) agrémentés de viande ou charcuterie, de carottes (préalablement marinées dans une sauce sucrée et vinaigrée), de concombres, d'oignons, de coriandre fraîche et de mayonnaise. Préférez celui au porc laqué, bien plus goûteux que la charcuterie ! Pas de restauration sur place, à manger en parcourant les rues du quartier chinois.

La « Main »

Café Santropol

3990, rue Saint-Urbain (C3)
M° Sherbrooke, bus 29 ou 55
☎ (514) 842 3110
T. l. j. été : 10h30-22h ; hiver : 11h30-22h
Sandwich : env. 9 $.

Ici, on vient autant pour la nourriture que pour le décor. Doté d'un petit jardin avec un plan d'eau, le Café Santropol est un véritable havre de paix. La déco intérieure, tendance mexicaine, n'est pas mal non plus. On y mange des sandwichs plus originaux les uns que les autres : type jambon/menthe/pomme/concombre ou coriandre/mayonnaise/raisins/pommes/carottes râpées. Subtil, non ?

Coco Rico

3907, bd St-Laurent (C3)
M° Sherbrooke, bus 29 ou 55
☎ (514) 849 5554
T. l. j. 9h-22h
Part de poulet rôti : env. 6 $.

Une halte bien connue des Montréalais qui permet de se régaler, à moindre coût, des bienfaits de la rôtisserie portugaise où la viande est cuite à point sur du charbon de bois. Parfumés et juteux, les poulets de Coco Rico vous laisseront un

MAIS AUSSI

- **Café des Éclusiers** (p. 45)
- **Schwartz's** (p. 57)
- **Le Café Italia** (p. 63)
- **La Croissanterie Figaro** (p. 65).

souvenir inoubliable ! Pensez à goûter également à leurs délicieuses pommes de terre… Seule ombre au tableau, ce comptoir ne possède que peu de places assises, mais rien ne vous empêche d'aller déguster votre repas dans le parc du Mont-Royal.

Du Quartier latin au Village

Café Cherrier

3635, rue Saint-Denis (D3)
M° Sherbrooke
☎ (514) 843 4308
Lun.-ven. 7h30-1h, sam.-dim. 8h30-23h30
Déjeuner : env. 15 $.

Véritable institution, le Café Cherrier et sa grande terrasse ensoleillée attirent de nombreux Montréalais. Il propose des plats de bistro peu onéreux, servis dans une atmosphère conviviale. Une excellente adresse pour le brunch : les œufs bénédicte au saumon fumé et les compotes maison sont renversants !

Plateau Mont-Royal

Byblos

1499, av. Laurier Est (D2)
M° Laurier, bus 27
☎ (514) 523 9396
Mar.-dim. 9h-23h
Plat du jour : env. 10 $; *koukou* : env. 5 $.

Découvrez avec bonheur la cuisine traditionnelle du Moyen-Orient. Dans un décor perse simple, vous dégusterez des *boranis* (mélange de yaourt et de légumes), des *koukous* (omelettes cuites au four) et autres spécialités dont de succulentes pâtisseries iraniennes accompagnées de thé à la menthe. Un savoureux voyage pour une addition dérisoire.

L'Anecdote

801, rue Rachel Est (D2)
M° Mont-Royal, bus 29
☎ (514) 526 7967
T. l. j. 9h-22h
Hamburger : env. 15 $.

Une adresse incontournable du Plateau ! Dans une ambiance moitié *diner* américain, moitié café rétro, vous mangerez d'incroyables hamburgers. Agneau/bleu/champignons, cerf/chèvre/bison fumé/moutarde ou veau/fromage/curry/champignons comptent parmi les meilleurs. Goûtez également les crêpes aux saveurs tout aussi folles.

Soupesoup

80, av. Duluth Est (C3)
M° Sherbrooke, bus 29 ou 55
☎ (514) 380 0880
Lun.-ven. 10h-18h, sam. 10h-17h
Soupe + demi-sandwich : env. 9 $; soupe + sandwich : env. 12 $.

Le menu change tous les jours en fonction du marché et du désir de votre hôte. Au final, une délicieuse sélection de soupes froides ou chaudes et de sandwichs faits à la commande. Des mariages surprenants comme la soupe froide à la betterave et au zeste d'orange. Sans oublier les gâteaux maison, tout aussi délicats. Et le succès est tel qu'il existe désormais cinq autres enseignes en ville.

L'Emporte-Pièce

418, rue Gilford (C2)
M° Laurier (sortie bd St-Joseph), bus 14, 27 ou 47
☎ (514) 566 7898
www.lemportepiece.com
Lun.-ven. 7h-22h, sam.-dim. 8h30-22h
Sandwich : env. 8 $ plat du jour : env. 13 $.

Caché dans l'angle de la rue Gilford, il serait dommage de manquer ce minuscule café qui prépare à la commande des sandwichs pressés (à Montréal, dites *Grilled cheese*) plus subtils et savoureux les uns que les autres, même si notre préféré reste incontestablement celui à l'Appenzeller et au paleron de bœuf ! Également un choix de plats renouvelés tous les jours selon la saison et l'envie de la cuisinière. Une bonne façon de manger « comme à la maison » tout en étant à l'extérieur. À déguster sur place ou à emporter.

Petite Italie

Le Petit Alep

191, rue Jean-Talon Est (C1)
M° Jean-Talon, bus 92, 93 ou 372
☎ (514) 270 9361
Mar.-sam. 11h-23h
Sandwich (à la pita) : env. 7 $; plat : env. 9 $.

Il n'existe pas un Montréalais qui ne connaisse pas cette adresse ! Le Petit Alep est un chaleureux café syrien, à deux pas du marché Jean-Talon, qui sert une cuisine délicieusement savoureuse à découvrir de toute urgence. À ne pas manquer : le riz au poulet haché et noix et les succulents rouleaux de pita farcis au *sabanegh* (épinards à la coriandre et aux épices) et au fromage d'Alep. Pour finir, une « tisane du staff » au subtil mélange de cardamone, d'eau de rose, de fleur d'oranger et de feuille de menthe fraîche…

Outremont / Mile End

Le Dépanneur Café

206, rue Bernard Ouest (C2)
M° Outremont, bus 46, 80 ou 160
☎ (514) 271 9357
T. l. j. 7h-18h
Crêpes, omelettes : env. 9 $; sandwichs, salades : env. 8 $.

Ce café coloré et animé, aménagé d'objets de récup et de créations artisanales (les tables en mosaïques sont superbes) vous accueille dans une ambiance chaleureuse

1 - Le Dépanneur Café
2 - L'Emporte-Pièce
3 - Le Dépanneur Café

à l'image du Mile End. Chaque jour, des musiciens et chanteurs de la scène locale viennent y répéter ce qui leur offre l'occasion de jouer en public. Une riche idée qui anime encore davantage ce lieu déjà si populaire. Au menu, de délicieux sandwichs, crêpes, salades et gâteaux sont servis à toute heure.

Westmount

La Foumagerie

4906, rue Sherbrooke Ouest (A3)
M° Vendôme, bus 63
☎ (514) 482 4100
www.lafoumagerie.qc.ca
Lun.-mer. 9h-19h, jeu.-ven. 9h-20h, sam. 9h-17h30, dim. 11h-17h
Sandwich : env. 6 $.

Pas facile de trouver un lieu sympa et sans prétention au sein de cette enclave bourgeoise que forme la communauté de Westmount. Eh bien c'est chose faite avec la Foumagerie, une épicerie-café dont le roi de la carte est le fromage. On y déguste, sur place ou à emporter, de bons sandwichs et salades (préparés à la commande) à base de Stilton, de parmesan, de chèvre, de gruyère, de provolone, de cheddar ou encore de Monterey Jack. Le rayon épicerie vous permet de compléter votre pique-nique.

La Petite Bourgogne

Quoi de N'œuf

2745, rue Notre-Dame Ouest (B4)
M° Lionel-Groulx, bus 36
☎ (514) 931 3999
Lun.-sam. 7h-14h45, dim. 8h-14h45
Déjeuner : env. 10 $.

À deux pas du canal de Lachine et du marché Atwater, ce charmant café de quartier est une adresse en or pour toutes celles et tous ceux qui se régalent à l'idée de déguster des crêpes ou des œufs. Attention, il ne s'agit pas là des galettes à la française, mais des épaisses crêpes propres à l'Amérique du Nord dans lesquelles on n'hésite pas à mélanger du fromage et du jambon au sirop d'érable. Quant aux œufs bénédicte, qu'ils soient accompagnés de bacon, de saumon ou d'épinards… c'est un régal !

POUTINES, CHIENS CHAUDS & CO

Impossible de quitter Montréal sans avoir goûté à certaines spécialités culinaires locales, copieuses et bon marché, qui peuvent se grignoter sur le pouce et à toute heure de la journée. Parmi celles-ci la poutine, les fèves au lard (surnommées les « petites délicieuses »), la tourtière, le pâté chinois (voir p. 28), la tarte au sucre ou encore les non moins célèbres « chiens chauds », traduction littérale et locale de hot dog.
Voici deux adresses populaires, authentiques et sans prétention :

- **La Binerie du Mont-Royal**
367, av. du Mont-Royal Est (C3), M° Mont-Royal
☎ (514) 285 9078 – Lun.-ven. 6h-20h, sam.-dim. 7h30-15h
- **Chien Chaud Victoire**
1001, rue University (G7), M° Square-Victoria
☎ (514) 508 0917.

À l'heure du goûter

1 - Le Bilboquet
2 - Pâtisserie Harmonie
3 - Au Festin de Babette

Vieux-Montréal du côté Est

Les Délices de l'Érable

84, rue Saint-Paul Est (I8)
M° Champ-de-Mars, bus 361 ou 514
☎ (514) 765 3456
Lun.-jeu. 9h-18h, ven. 9h-21h, sam. 10h-21h, dim. 10h-19h.

Idéalement située au cœur du Vieux-Montréal, cette adresse, ne proposant que des produits à base de sirop d'érable, est le paradis des gourmands ! Tout d'abord des gâteaux avec quelques incontournables comme la tarte au sucre, le muffin aux bleuets, la mousse « bananérable » ou les succulents biscuits au chocolat... Ensuite, les glaces avec des saveurs étonnantes de fraise/menthe/basilic, bleuets, litchi, érable ou meringue. Bref, une agréable pause gustative accompagnée, pourquoi pas, d'un thé à l'érable !

Mille Carré Doré

Nocochi

2156, rue Mackay (B3)
M° Guy-Concordia, bus 24
☎ (514) 989 7514
Lun.-sam. 8h-19h (été 8h-21h), dim. 8h-18h.

Discrètement installé en contrebas du musée des Beaux-Arts, ce café-pâtisserie est l'adresse idéale pour s'offrir une pause loin des foules. Tout de blanc vêtu, il inspire détente et sérénité. Nocochi fabrique artisanalement des biscuits miniatures dont l'aspect est aussi délicat que la saveur. Chocolat/amande/fraise, vanille, noisette ou abricot, ces mini-sablés (7,50 $ les 100 g) s'accorderont parfaitement avec votre café. À manger sur place ou à emporter.

Yeh ! Yogourt

1651, rue Sainte-Catherine Ouest (B3)
M° Guy-Concordia, bus 15 ou 57
www.yehyogourt.com
☎ (514) 903 4872
Dim.-mer. 11h-minuit, jeu.-sam. 11h-1h.

Un concept original de bar à yogourt glacé 0 % en self-service aux saveurs multiples dont certaines font preuve de grande originalité : guimauve, pâte à biscuit, crême irlandaise, gingembre ou citrouille épicée... À cela s'ajoutent les classiques (nature, café, fraise, chocolat, banane...) en sachant que les saveurs évoluent en permanence au rythme des saisons. Ajoutez-y ensuite quelques garnitures (granola, canneberges, brisures de chocolat, feuilles d'érables, caramel...) et le tour est joué ! Un délice...

Quartier des spectacles

Pâtisserie Harmonie

85, rue de la Gauchetière Ouest (H7)
M° Place-d'Armes, bus 55 ou 63
☎ (514) 875 1328
www.patisserie harmonie.com
T. l. j. 8h30-21h.

Située au cœur de Chinatown, cette petite pâtisserie ultramo-

LES BOULANGERIES QUI VALENT LE DÉTOUR

Voici quelques bonnes adresses pour déguster votre goûter allongé dans un parc ou en déambulant à travers la ville :

- **Boulangerie Pinchot 4354, rue de Brébeuf (angle avec la rue Marie-Anne – D2) – M° Mont-Royal – ☎ (514) 285 9078**
- **La Mie Matinale 1371, rue Sainte-Catherine Est (D3) – M° Beaudry – ☎ (514) 529 5656**
- **MBCo (voir p. 97)**
- **Première Moisson 860, av. du Mont-Royal Est (D2) M° Mont-Royal – ☎ (514) 523 2751**
- **Olive+Gourmando (voir p. 96).**

derne propose en libre-service des gâteaux sucrés ou salés inspirés des pâtisseries occidentales mais avec des saveurs asiatiques. Les pains au chocolat sont remplacés par des pains aux haricots rouges, sésame et taro, et si ces saveurs ne vous conviennent pas, essayez les torsades à l'ananas et à la noix de coco. Le choix est vaste !

Du Quartier latin au Village

Juliette et Chocolat

1615, rue Saint-Denis (I6)
M° Berri-UQAM,
bus 15 ou 125
☎ (514) 287 3555
www.julietteetchocolat.com
Ven.-sam. 11h-minuit,
dim.-jeu. 11h-23h.

Comme son nom l'indique, la star ici, c'est le chocolat ! Crêpes, glaces, gâteaux mais aussi une superbe déclinaison de chocolats chauds en version classique, amère ou épicée. La palme d'or revient incontestablement aux brownies, servis tièdes, et dont les saveurs sont d'une grande délicatesse : balsamico (framboise et vinaigre balsamique), fleur de sel (chocolat noir, chocolat blanc et caramel à la fleur de sel), ivoire (double chocolat blanc et noix de coco)... Un régal ! Deux autres adresses dans le quartier d'Outremont et du Plateau.

Plateau Mont-Royal

Au Festin de Babette

4085, rue Saint-Denis (C3/D3)
M° Sherbrooke ou Mont-Royal, bus 30 ou 361
☎ (514) 849 0214
T. l. j. 10h-19h.

Salon de thé ? Boutique ? Épicerie fine ? C'est un peu tout à la fois ! Agencé comme un appartement avec de multiples meubles de brocante et des étagères remplies de vaisselle, de pots de miel et de confiture et autres gâteries, Au Festin de Babette offre une pause fort agréable dans votre journée. Vous pourrez y déguster glaces et gâteaux accompagnés d'une immense sélection de thé, ou du succulent et célèbre « chocolat chaud de Babette » aromatisé au gingembre et à la cannelle.

Fuchsia, épicerie fleur

4050, av. Coloniale (à l'angle de la rue Duluth – C3)
M° Mont-Royal,
bus 29, 55 ou 363
☎ (514) 842 1232
www.epiceriefleur.com
Mer. et sam. 11h-17h, jeu.-ven. 11h-21h, dim. 11h-15h.

Un café-épicerie des plus originaux puisque tout ce qui y est proposé est agrémenté de fleurs comestibles comme la rose, la violette ou la lavande. À la carte, soupes (5 $), salades et boissons mais aussi une large sélection de gâteaux, biscuits, muffins et *poudings* servis à toute heure. Laissez-vous tenter par ces mélanges de saveurs surprenants qui sauront enchanter vos papilles. Et ne manquez pas leur thé à la rose et la cardamone (10 $), un pur délice !

Outremont / Mile End

Le Bilboquet

1311, avenue Bernard (C2)
M° Outremont,
bus 160 ou 368
☎ (514) 276 0414
Été : t. l. j. 11h-minuit ; reste de l'année : t. l. j. 11h-21h.

Il s'agit sans doute du glacier le plus populaire de Montréal ! Les petites boutiques de cette chaîne laissent peu d'espace à la dégustation sur place mais qu'à cela ne tienne, les parcs ne sont pas bien loin (voir p. 64 et 68) ! Parmi les spécialités de la maison le Chocouette (chocolat et beurre d'arachide), le King Kong (chocolat et banane) ou le Cacaophonie (noix de cajou et chocolat blanc) et de mars à la mi-mai, pendant le temps des sucres, une glace à la tire d'érable. Si les calories vous effraient, les sorbets mangue-coco, bleuets ou *lime* (citron vert) apaiseront plus sagement votre gourmandise. Une seconde boutique est située à Westmount ay 4864, rue Sherbrooke Ouest.

MAIS AUSSI

- **Petits Gâteaux** (p. 61)
- **La Croissanterie Figaro** (p. 65)
- **Itsi Bitsi** (p. 71)
- **Camellia Sinensis** (p. 121).

Magasiner mode d'emploi

Où faire ses achats ?

La rue Sainte-Catherine (entre les rues Guy et Berri – B3/D3) est la zone de shopping principale de Montréal. On y trouve essentiellement des magasins de mode, des boutiques de gadgets et de souvenirs, les grands magasins La Baie et Ogilvy... mais aussi des accès aux différentes galeries souterraines. L'autre grand axe de « magasinage » est la rue Saint-Denis (entre le bd Maisonneuve et l'av. du Mont-Royal – C2-C3). De nombreux jeunes designers s'y sont installés ainsi que des boutiques destinées à l'art de vivre, à la décoration ou au sport. Le bd Saint-Laurent (C2-3) regroupe plusieurs espaces consacrés au design et meubles contemporains. Pour les antiquités, il faudra plutôt arpenter la rue Notre-Dame Ouest (entre Guy et Atwater – B4) ou la rue Amherst (entre Sainte-Catherine et Sherbrooke – D3) pour tout ce qui est rétro. C'est enfin dans le secteur de Westmount que les mamans s'en donneront à cœur joie avec une quantité de magasins destinés aux enfants sur la rue Sherbrooke (entre Grey et Lansdowne – A3). Sachez quand même que chaque quartier renferme ses propres petits trésors. À vous de les découvrir au hasard de vos visites.

SE REPÉRER

Nous avons indiqué pour chaque adresse Shopping sa localisation sur le plan général (B2, G8...). Pour un repérage plus facile en préparant votre week-end ou lors de vos balades, nous avons signalé sur le plan par un symbole rouge, toutes les adresses de ce chapitre. Le numéro en rouge signale la page où elles sont décrites.

Horaires d'ouverture

En général, les magasins ouvrent à 10h (parfois un peu plus tôt le samedi) et à 12h le dimanche. Ils ferment à 18h du lundi au mercredi (17h les week-ends) et font nocturne jusqu'à 20h ou 21h les jeudis et vendredis. Attention, durant l'hiver, il arrive que certaines boutiques modifient leurs horaires, renseignez-vous !

Comment payer ?

Les commerçants acceptent la plupart des cartes de paiement. Les chèques de voyage sont en général admis dans les hôtels et certains grands magasins, mais il est recommandé de les changer à la banque dès votre arrivée. Si vous souhaitez retirer des espèces, de nombreux distributeurs automatiques sont disponibles dans les banques. Il arrive parfois qu'ils n'acceptent pas toutes les cartes, mais c'est assez rare.

En cas de perte ou de vol de votre carte bancaire

Téléphonez aux numéros suivants (appels gratuits, en anglais uniquement) :

Visa
☎ 1 (800) 847 2911
American Express
☎ 1 (800) 869 3016
MasterCard
☎ 1 (800) 622 7747.

Soldes

À la différence de la France, aucune loi ne régit la période des soldes et les magasins en proposent d'eux-mêmes à chaque fin de saison. En général, les soldes d'hiver débutent à la veille de Noël et s'étendent jusqu'à la fin janvier. Le 26 décembre ou « Boxing Day » est une journée ponctuée d'importantes réductions et de véritables vagues humaines se ruent dans les boutiques du centre-ville dès l'ouverture ! En dehors de ces soldes classiques, la ville, grâce aux associations de marchands, organise de nombreuses « ventes de trottoir » de début mai à fin septembre. Dans la plupart des cas, les rues sont fermées à la circulation pour laisser place à ces grandes braderies. L'ambiance y est fort sympathique et les bonnes affaires sont à saisir. Parmi les plus importantes, celles du boulevard Saint-Laurent (entre la rue Sherbrooke et l'avenue du Mont-Royal – C2-3) la 2e quinzaine de juin et fin août, et celle de la rue Sainte-Catherine (de la rue Atwater à la rue Saint-Urbain – B3/C3) aux alentours de la mi-juillet. Pour connaître le calendrier de ces ventes, n'hésitez pas à contacter l'office du tourisme de Montréal (voir p. 40).

Pharmacies et dépanneurs

Les pharmacies montréalaises (et plus généralement nord-américaines) sont de véritables cavernes d'Ali-Baba, aménagées comme des supermarchés ; vous y trouverez tout ce dont vous avez besoin. Elles sont souvent ouvertes tard le soir, comme la populaire chaîne Pharmaprix. Les dépanneurs, quant à eux, vous rappeleront vos épiceries de quartier. Vous croiserez la chaîne des dépanneurs Couche-Tard un peu partout.

Pharmaprix
- 901, rue Sainte-Catherine Est (D3)
M° Berri-UQAM
☎ (514) 842 4915
T. l. j. 8h-minuit.
- 390, rue Sainte-Catherine Ouest (H7)
M° Place-des-Arts ou McGill
☎ (514) 875 7070
Lun.-ven. 8h-22h, sam. 9h-22h, dim. 10h-22h.

Couche-Tard
- 1555, rue Saint-Denis (I6)
M° Berri-UQAM
☎ (514) 848 9871
T. l. j. 24/24h.

TAXES DANS LES MAGASINS

Les prix affichés sur les étiquettes sont hors taxes. Au moment de payer, seront ajoutées la taxe fédérale sur les produits et services (TPS) de 5 % ainsi que la taxe de vente du Québec (TVQ) s'élevant à 7,5 %. Attention, depuis 2007 les visiteurs ne peuvent plus récupérer cette somme sur leurs achats !

PETIT RAPPEL

Il existe certains problèmes d'équivalence entre les normes européennes et américaines ! En général, pour tout achat de petit électronique (lecteur Mp3, appareil photo numérique…), une simple prise adaptable devrait vous permettre de pouvoir brancher votre appareil au courant français. En revanche, d'autres appareils plus importants nécessiteront un transformateur de courant. Pensez à vous renseigner au moment de vos achats ! Dans un même registre, les DVD sont de zone 1 et ne pourront être lus que si votre lecteur est multi-zone.

Mode femme

Les passionnées de lèche-vitrine ne seront pas perdues à Montréal ! Les boutiques de prêt-à-porter en tout genre foisonnent, et rien qu'avec la rue Sainte-Catherine, vous aurez fort à faire : la journée y suffirait à peine. Parmi tous ces magasins, quelques marques canadiennes et créateurs québécois sont à découvrir, dont voici un petit aperçu…

Boutique Melow

3889, rue Saint-Denis (C3)
M° Sherbrooke
☎ (514) 807 0935
Lun.-mer. 10h-18h, jeu.-ven. 10h-21h, sam. 11h-18h, dim. 12h-17h.

Voici enfin une boutique qui s'adresse à toutes les silhouettes, de la longiligne à la pulpeuse ! Melissa Bolduc propose une ligne de vêtements féminins et confortables composée de matières pour la plupart recyclées. Des coupes sans chichis mais qui sauront mettre en valeur les atouts de votre corps avec style et sobriété. Une très belle trouvaille…

Scandale

3639, bd Saint-Laurent (C3)
M° Sherbrooke ou bus 55
☎ (514) 842 4707
Lun.-mer. 11h-18h, jeu.-ven. 11h-21h, sam. 11h-18h, dim. 12h-17h.

Sa devanture colorée ne pourra qu'attirer votre attention… et c'est tant mieux ! La boutique Scandale met en scène les créations féeriques de Georges Lévesque. Ce couturier autodidacte, réfractaire aux exigences des divers courants de la mode, invente des robes d'inspiration rétro, alliant des matières souples et luxueuses qui mettent en valeur la sensualité de la femme sans jamais la rendre vulgaire. À voir absolument.

Dubuc Mode de Vie

4451, rue Saint-Denis (C2)
M° Mont-Royal
☎ (514) 282 1465
www.dubucstyle.com
Lun.-mer. 10h30-18h, jeu.-ven. 10h30-21h, sam. 10h30-17h, dim. 13h-17h.

Depuis l'automne 2000 Philippe Dubuc, designer émérite de la mode masculine (voir p. 106), se consacre à l'univers féminin. Les créations, haut de gamme et sobres, privilégient le souci du détail et le choix des matières juxtaposées de manière inédite – coton et métal par exemple. Beaucoup de légèreté et de drapé, peu de couleurs… La femme « Dubuc » se veut élégante tout en restant discrète.

Jacob

1220, rue Sainte-Catherine Ouest (C3)
M° Peel
☎ (514) 861 9346
Lun.-mar. 10h-18h, mer.-ven. 10h-21h, sam. 10h-18h, dim. 11h-17h.

Une belle découverte que cette ligne de vêtements canadienne proposant des modèles confortables et bien coupés à des prix exceptionnels. Les collections de tee-shirts (à partir de 20 $), pulls et gilets sont déclinées dans de nombreuses couleurs et s'accordent facilement à toute garde-robe. Ne manquez pas la section lingerie située au sous-sol : elle réserve également d'agréables surprises.

Muse

4467, rue Saint-Denis (C2)
M° Mont-Royal
☎ (514) 848 9493
Lun.-mer. 10h-17h30, jeu.-ven. 10h-19h, sam. 11h-17h, dim. 12h-17h.

Avant de se lancer dans la mode, Christian Chenail a d'abord suivi une formation d'architecte qui influence grandement sa façon de concevoir le vêtement. Il accorde une grande importance à sa structure en excluant tout effet décoratif superflu. Au final, des modèles assez classiques pour des coupes plutôt originales, à porter aussi bien au quotidien que pour des occasions plus spéciales.

Kaliyana

4107, rue Saint-Denis (C2-3)
M° Mont-Royal
☎ (514) 844 0633
www.kaliyana.com
Lun.-mer. 10h30-18h, jeu.-ven. 10h30-20h, sam. 10h-17h, dim. 11h-17h.

Kaliyana est une boutique des plus singulières. La créatrice, Jana Kalous, propose des vêtements basiques, extrêmement amples dont la sobriété rappelle un certain minimalisme japonais. Vous pourrez les porter un par un ou tout superposer… L'idée est qu'avec six pièces essentielles, vous pourrez concevoir vingt ensembles différents ! Une perspective originale qui fera presque de votre tenue une œuvre artistique (compter environ 150 $ par pièce).

MYCO ANNA

Depuis 1995, la marque québécoise Myco Anna propose une réflexion concrète sur l'état de notre planète, puisque chaque pièce est conçue (totalement ou en partie) à partir de matières recyclées. Ses créations éthiques sont d'une grande originalité formant de véritables patchworks de matières et de couleurs tout en sublimant la féminité. Sans oublier une collection d'accessoires (chapeaux, foulards, gants…) absolument irrésistible !

4660, bd Saint-Laurent (C2) – M° Mont-Royal
☎ (514) 844 7117
www.mycoanna.com
Lun.-mer. 10h-18h, jeu.-ven. 10h-21h, sam. 11h-18h, dim. 12h-17h.

Mode homme

Il est difficile de définir la mode masculine des rues de Montréal. Définitivement moins apprêtés que nos cousins italiens, sans non plus s'adonner à un vulgaire laisser-aller, les hommes, ici, préfèrent un style décontracté typiquement nord-américain. Cela n'empêche nullement la présence de jeunes créateurs talentueux, comme Philippe Dubuc, qui sauront offrir à ces messieurs une grande élégance 100 % québécoise !

James Perse

4869, rue Sherbrooke Ouest (A3)
M° Vendôme
☎ (514) 484 6163
Lun.-ven. 10h-18h, sam. 10h-17h, dim. 12h-17h.

Les collections du designer californien James Perse représentent sans doute ce qu'il y a de plus chic en matière de sportswear. Les matières sont d'une qualité et d'une douceur à faire pâlir plus d'un grand couturier et les coupes sont minutieusement stylisées tout en offrant le confort et la souplesse liés à ce style si prisé en Amérique du Nord ! Évidemment le haut de gamme a un coût (comptez environ 45 $ pour un tee-shirt). La boutique propose également une collection pour femmes.

Dubuc Mode de Vie

4451, rue Saint-Denis (C2)
M° Mont-Royal
☎ (514) 282 1465
www.dubucstyle.com
Lun.-mer. 10h30-18h, jeu.-ven. 10h30-21h, sam. 10h30-17h, dim. 13h-17h.

Philippe Dubuc est sans doute le designer masculin le plus en vue au Canada. Il crée en 1993 sa première ligne, qui donne le ton d'un nouveau style de mode urbaine. Comme pour la femme (voir p. 104), il privilégie les couleurs sombres et le blanc aux couleurs vives. Ses modèles sont souvent près du corps avec des pantalons droits et des vestes aux épaules bien marquées. Des collections d'une grande sobriété, très prisées à Montréal.

Shan

2150, rue Crescent (B3/C3)
M° Peel
☎ (514) 287 7426
www.shan.ca
Lun.-mer. 10h-18h, jeu.-ven. 10h-20h (hiver : 10h-19h), sam. 10h-17h, dim. 12h-17h.

La marque de Chantal Lévesque est très célèbre pour ses collections haute couture de maillots de bain féminins, mais Shan propose également de la lingerie masculine haut de gamme dont le toucher ferait craquer n'importe qui ! Des coupes simples mais soignées (les boxers finement côtelés sont irrésistibles !), des gammes de couleurs sobres et élégantes, le tout fait de microfibre ou de coton de qualité hors pair... Qui a dit que la lingerie était une affaire de femmes ?

La Casa del Habano

1434, rue Sherbrooke Ouest (B3/C3)
M° Guy-Concordia
☎ (514) 849 0037
www.lacasadelhabano.ca
Lun.-jeu. 10h-21h, ven.-sam. 10h-23h, dim. 13h-18h.

Si vous faites partie de ceux pour qui shopping = déprime, voici peut-être une adresse qui saura vous réconcilier avec les joies du « magasinage ». Située à deux pas du musée des Beaux-Arts, La Casa del Habano offre le meilleur choix d'authentiques cigares cubains dans un cadre chic et convivial. Installé dans un confortable fauteuil en cuir, vous pourrez apprécier votre havane préféré et déguster un café cubain. Vous profiterez aussi d'un grand choix d'accessoires et de revues liés à cet art.

BOUTIQUE DUO

Réputé pour être la destination mode de référence de l'homme urbain (entendez l'homme pressé mais exigent !), la boutique Duo propose une collection de vêtements et accessoires de grande qualité. Vous y trouverez de magnifiques jeans, vestes et chemises mais aussi de la lingerie, du parfum (l'occasion de découvrir la marque Dsquared2 !), des chaussures, des montres, des sacs, des ceintures et des lunettes de soleil. Le choix y est très pointu et l'accueil fort agréable.

24/30, rue Prince-Arthur Ouest (C3)
M° Sherbrooke
☎ (514) 845 0882
Lun.-mer. 10h-19h, jeu.-ven. 10h-21h, sam. 10h-19h, dim. 12h-19h.

Du côté des enfants

Quelle maman ne craque pas devant une pièce unique pour son adorable chérubin ? Quel parent n'est pas à l'affût d'un petit cadeau ludique ou rigolo ? Vous croiserez forcément sur votre chemin toutes sortes de boutiques, mais sachez qu'une des plus fortes concentrations de magasins pour enfants se trouve rue Sherbrooke Ouest, dans le quartier résidentiel de Westmount (voir p. 68).

Oink Oink

1343, av. Greene (B3)
M° Atwater
☎ (514) 939 2634
www.oinkoink.com

Lun.-ven. 9h30-18h, sam. 9h30-17h, dim. 12h-17h.

Deux magasins consacrés à l'enfance avec jeux de société, jouets, vêtements, livres et gadgets. Alors si vous avez un cadeau à faire, vous trouverez forcément la perle rare dans cette caverne d'Ali Baba. Pour les tout-petits, les chaussons au crochet de chez Padraig Cottage (env. 30 $) ou les grenouillères, sans couture, fabriquées dans un élasthanne incroyablement doux, devraient faire fondre plus d'une maman.

La Grande Ourse

263, avenue Duluth Est (C3)
M° Sherbrooke ou Mont-Royal
(514) 847 1207
Mar.-mer. 12h-18h, jeu.-ven. 12h-21h, sam.-dim. 12h-17h.

Pour les inconditionnels du jouet en bois et du respect de l'environnement, La Grande Ourse sera comme une oasis en plein désert. Marguerite Doray, maîtresse des lieux, saura vous expliquer

avec douceur et passion l'utilité pédagogique de chacun des objets, comme ces petits anneaux spécialement conçus pour aider l'enfant à faire ses dents. Autre idée cadeau : de ravissantes petites figurines en laine et de généreuses poupées faites de matières naturelles.

Alpaqa

533, rue Duluth Est (D3)
M° Sherbrooke ou Mont-Royal
☎ (514) 527 9687
www.alpaqa.com
Hiver : lun.-mer. 10h-18h30, jeu.-sam. 10h-21h, dim. 11h30-19h
Été : lun.-sam. 10h-21h30, dim. 11h30-21h.

Certes ce magasin n'est pas réservé aux enfants. Mais qui ne craquerait pas devant cette collection de vêtements et d'accessoires 100 % alpaga ? Cette laine, conçue à partir de poils de chameau des Andes, est l'une des plus douces et des plus chaudes que l'on puisse trouver. Alors pour affronter l'hiver sans souci, pourquoi ne pas vêtir bébé d'authentiques petit pull et bonnet péruviens ? C'est sûr, vous allez succomber…

Le Nid de la Cigogne

268, rue Saint-Viateur Ouest (C2)
M° Laurier ou Outremont
☎ (514) 267 6262
Lun.-ven. 11h-18h, sam.-dim. 11h-17h.

Incontournable ! Cette ravissante boutique est entièrement dédiée aux produits biologiques et naturels pour bébés : vêtements, couches lavables de coton, accessoires sans produits chimiques (anneaux de dentition, hochets, etc…), écharpes de portage, jouets en bois, produits de soin, tout y est ! Un espace jeux a même été aménagé pour faire patienter les plus grands. Et pour finir, les tarifs sont très abordables ce qui n'est pas toujours le cas en matière de bio et de produits respectueux de l'environnement.

Lmnop

4919, rue Sherbrooke Ouest (A3)
M° Vendôme
☎ (514) 486 4572
www.lmnop.ca
Lun.-ven. 10h-18h, sam. 10h-17h, dim. 12h-17h.

De nombreuses familles vivent dans ce quartier résidentiel de Westmount, ce qui explique sans doute l'abondance de magasins pour enfants. Celui-ci, avec son nom étrange, contient de nombreux articles destinés aux joies du plein air. Les combinaisons munies

de protection solaire de chez Nozone, une incroyable collection de bottes en caoutchouc, des maillots de bain, des lunettes de soleil… De quoi tenir prêts nos petits pour les prochaines vacances.

PEEK A BOO

Cette boutique colorée est avant tout une friperie pour enfants (de 0 à 6 ans) bien appréciée des mamans montréalaises. C'est l'occasion unique de revendre les vêtements que bébé ne portera plus et de dénicher quelques tenues à bas prix comme celles de la ravissante marque québécoise Deux Par Deux. Quelques articles neufs sont également proposés tels les chaussures Robeez et les chapeaux Do-Gree. Sans compter le bonheur des enfants qui profitent ici d'une aire de jeux rien que pour eux !

807, rue Rachel Est (D2)
M° Mont-Royal
☎ (514) 890 1222
www.friperiepeekaboo.ca
Lun.-ven. 10h-18h, sam. 10h-17h, dim. 12h-17h.

Jeunes
et sportswear

Montréal regorge de boutiques en tout genre, personne ne saurait dire le contraire, et surtout pas les jeunes ! Véritable *fashion victim* ? Adepte du jean-baskets ? Vous trouverez toujours quelque chose à rapporter. La rue Sainte-Catherine – encore elle – pourrait assouvir n'importe quelle envie (grâce entre autres à Simons et sa marque Twik) mais n'oubliez pas non plus de jeter un œil dans les centres commerciaux (voir p. 122)...

Parasuco

1414, rue Crescent (B3/C3)
M° Peel
☎ (514) 284 2288
www.parasuco.com
Lun.-mer. 9h30-21h,
jeu.-ven. 9h-21h,
sam. 9h30-18h,
dim. 12h-18h.

Fondée en 1975 dans la région de Montréal par Salvatore Parasuco, cette entreprise éponyme est spécialisée dans le jean. Installée dans le magnifique bâtiment d'une ancienne banque, la boutique expose toutes les collections de la marque, qui se veut sexy... voire légèrement provocante. Pantalons taille ultra-basse, blousons de cuir courts et près du corps, paillettes, dos nus : une étonnante griffe québécoise qui fait tout pour se faire remarquer et ça marche !

Jacob Connexion

360, rue Sainte-Catherine Est (I6)
M° Berri-UQAM
☎ (514) 842 9357
Lun.-mer. 10h-18h,
jeu.-ven. 10h-21h,
sam. 10h-17h, dim. 12h-17h.

Petit frère de Jacob (voir p. 105), Jacob Connexion propose une ligne davantage sportswear s'articulant autour du jean et d'une mode à tendance unisexe. De ravissants petits shorts pour l'été, une belle gamme de gilets à capuche (env. 30 $), des débardeurs de toutes les couleurs ou encore des ceintures en toile carrément fashion... Bref, une collection de prêt-à-porter urbaine et bon marché, des basiques indispensables à toute garde-robe !

American Apparel

001, rue Saint-Denis (C3/D3)
M° Sherbrooke
☎ (514) 843 8887
www.americanapparel.net
Lun.-mer. 10h-20h, jeu.-ven. 10h-21h, sam. 10h-17h, dim. 11h-17h.

American Apparel est la marque américaine de tee-shirts que tout le monde porte et que grand nombre de jeunes stylistes utilisent comme base pour imprimer leurs propres motifs. Créée par Dov Charney, originaire de Montréal – eh oui ! –, l'entreprise est établie à Los Angeles et fabrique toute sa production là-bas. Aucune fioriture dans la réalisation, les modèles sont tous unis ou bicolores, mais le coton utilisé est d'une douceur et d'une qualité irréprochable.

Urban Outfitters

• 1246, rue Sainte-Catherine Ouest (C3)
M° Peel
☎ (514) 874 0063
• 4301, rue Saint-Denis (C2)
M° Mont-Royal
☎ (514) 844 5944
www.urbanoutfitters.com
Lun.-mer. 10h-20h, jeu.-ven. 10h-21h, sam. 10h-17h, dim. 12h-17h.

Magasin mythique des 15-25 ans, cette chaîne de concept-store possède désormais 65 boutiques sur tout le territoire nord-américain. Dans cet immense espace de deux étages (la boutique de la rue Saint-Denis est un peu plus petite), vous pourrez dénicher tout ce dont vous rêvez : vêtements, chaussures, bijoux, livres, gadgets, tissus, objets de déco et autres accessoires, de la casquette aux lunettes de soleil. La tendance est plutôt hippie-chic voire *peace and love*, mais tellement irrésistible ! Incontournable…

Mavi

1241, rue Sainte-Catherine Ouest (C3)
M° Peel
☎ (514) 843 6284
www.mavi.com
Lun.-mer. 10h-18h, jeu.-ven. 10h-21h, sam. 10h-17h, dim. 11h-17h.

Vous serez sans doute surpris d'apprendre que cette marque de jeans de plus en plus tendance est turque… Dans le monde entier, les jeunes et les *fashionistas* s'arrachent ces modèles dont la toile – un peu moins épaisse que chez ses concurrents – et les coupes – particulièrement taille basse et sexy – en font de véritables objets de mode.

Onze

• 4151, bd Saint-Laurent (C3)
M° Mont-Royal
☎ (514) 844 2662
• 4146, rue Saint-Denis (C2-3)
M° Mont-Royal
☎ (514) 223 6938
Lun.-mer. 10h-18h, jeu.-ven. 10h-21h, sam. 10h-18h, dim. 12h-17h.

Ces boutiques sont de véritables cavernes d'Ali Baba ! Jeans, tee-shirts, robes, petits tops tendance, la plupart des marques dont les jeunes raffolent sont représentées. À ne pas manquer, les robes colorées de Kenzie Girl et la superbe collection de chaussures de la marque brésilienne Colcci. Quelques accessoires sont également en vente.

ET EN AVANT-PREMIÈRE

Nombre de marques nord-américaines et de designers québécois ne possèdent pas encore leur propre boutique. Ils sont distribués dans divers magasins et il serait bien dommage de s'en priver. Voici quelques bonnes adresses :

• **James** (lingerie de Mme Woo et tee-shirts C&C California) 4910, rue Sherbrooke Ouest (A3) M° Vendôme ou bus 24 – ☎ (514) 369 0700 Lun.-mer. 10h-18h, jeu.-ven. 10h-19h, sam. 10h-17h30, dim. 12h-17h30.

• **Nahika** (designers québécois comme Glas Gow) 4435, rue Saint-Denis (C2) – M° Mont-Royal ☎ (514) 848 9731 Lun.-mer., sam.-dim. 11h-18h, jeu.-ven. 11h-21h.

Accessoires

Certes, Montréal ne détrônera pas les Italiens dans le domaine de la chaussure (et plus généralement du cuir), ni les Français pour leur lingerie soyeuse et coquine. Ce n'est pas grave… Concentrez-vous sur les bijoux. Vous trouverez une multitude de jeunes artisans dont la créativité vous surprendra. Les boutiques des musées abritent elles aussi de petits trésors. Et si vous préférez les vrais diamants, rendez-vous chez le joaillier Henry Birks (angle du carré Phillips et de la rue Sainte-Catherine).

Rudsak

1400, rue Sainte-Catherine Ouest (B3/C3)
M° Guy-Concordia
☎ (514) 399 9925
www.rudsak.com
Lun.-mer. 10h-18h, jeu.-ven. 10h-21h, sam. 10h-17h, dim. 12h-17h.

Lancée en 1994 à Montréal par le designer Evik Asatoorian, Rudsak confectionne des vêtements et accessoires de cuir de très belle qualité. Les manteaux longs pour femmes, fabriqués dans une peau fine et souple, épousent parfaitement le corps. Les collections de sacs osent la couleur avec des teintes rouge vif, jaune ou bleu ciel. Et les passionnés de gadgets trouveront aussi leur bonheur avec les mini-porte-monnaie tout aussi colorés.

Aqua Skye

2035, rue Crescent (B3/C3)
M° Peel
☎ (514) 985 9950
www.aquaskye.com
Lun.-mer. 11h-18h, jeu.-ven. 11h-21h, sam. 11h-17h, dim. 11h-17h.

Cette minuscule boutique tout en étage passerait presque inaperçue… et ce serait bien dommage car à l'intérieur, vous découvrirez les créations de bijoux de nombreux designers québécois. Ras-du-cou en cuir, colliers agrémentés de plumes, pendentifs aux tailles faramineuses, bagues utilisant des matériaux recyclés…

a Senza

133, rue Sainte-Catherine
uest (G7)
° Peel
☎ (514) 281 0101
ww.lasenza.ca
un.-ven. 10h-21h,
am. 10h-19h, dim. 10h-17h.

mpossible d'échapper à et empire canadien de la ngerie : il ne possède pas noins de 200 boutiques dans out le pays ! Certes, il est plus agréable de faire ses emplettes à où peu de gens vont, mais s'offrir un ravissant ensemble nuisette/culotte pour moins de 20 $, ça ne se refuse pas ! Le rapport qualité/prix est exceptionnel et les collections sont nombreuses. Les tenues douillettes pour flâner à la maison sont irrésistibles.

Atelier Bidz

3945A, rue Saint-Denis
(C3/D3)
M° Sherbrooke ou
Mont-Royal
☎ (514) 286 2421
www.bidz.ca
Lun.-mer. 11h-18h, jeu.-ven.
11h-19h, sam. 11h-18h,
dim. 12h-17h.

Si le grand nombre de stands d'artisans vendant leurs bijoux vous a donné envie de réaliser vos propres créations, voici une adresse qui saura sans doute combler votre envie. Atelier Bidz est un magasin de perles et accessoires en libre-service. Bois naturel, bois peint, perles métallisées, de verre ou semi-précieuses… le choix est vaste et les vendeurs de bon conseil. La boutique propose également des ateliers thématiques : « Bagues de métal », « Tissage de perle de rocaille ».

John Fluevog

3857, rue Saint-Denis (C3)
M° Sherbrooke
☎ (514) 509 1627
Lun.-mer. 10h-18h, jeu.-ven.
10h-21h, sam. 10h-17h,
dim. 12h-17h.

Les chaussures de John Fluevog trônent au sein d'une boutique majestueuse ! Au paradis de la chaussure compensée, les modèles sont néanmoins toujours élégants et ultrabranchés. Les couleurs sont souvent décapantes mais jamais vulgaires. John Fluevog dessine en exclusivité chacun de ses modèles avec, en prime, des semelles entièrement naturelles en caoutchouc végétal. Comptez entre 250 et 350 $ pour une paire de bottes.

Ugg

4891, rue Sherbrooke Ouest,
Westmount (A3)
M° Vendôme
☎ (514) 907 7844
Lun.-mer. 10h-18h, jeu.-ven.
10h-19h, sam. 10h-17h,
dim. 12h-17h.

Le chausseur australien a investi le quartier de Westmount. Symbole du luxe, Ugg s'est fait sa réputation grâce à des matières haut de gamme comme le cuir, le suède et surtout, la peau de mouton. En dehors des célèbres bottines de la marque qui ont fait le tour de la planète, vous trouverez ici de nombreux modèles pour hommes, femmes et enfants.

HARRICANA PAR MARIOUCHE

Les créations de Mariouche Gagné sont faites de matériaux de récupération… Sa cible principale ? La fourrure ; et ça change tout évidemment. À l'aide de vieux manteaux récupérés çà et là, elle confectionne de ravissants accessoires tout à fait originaux comme des bonnets en maille agrémentés d'un pompon en renard, des chaussons en daim relevés d'un contour en vison… Non contente de savoir recycler la fourrure, elle utilise aussi avec brio de vieux foulards pour fabriquer d'élégants débardeurs. Chapeau !

3000, rue Saint-Antoine Ouest (B4)
M° Lionel-Groulx
☎ (514) 287 6517
www.harricana.qc.ca
Lun.-ven. 10h-17h, sam. 10h-18h, dim. 12h-17h.

Beauté
et bien-être

À Montréal, et plus généralement au Québec, la tendance est aux produits naturels. Aromathérapie, huiles essentielles, fleurs, plantes, fruits... on privilégie avec conviction tout ce qui nous est offert par Dame Nature. Laissez-vous séduire par cette abondance d'authenticité et profitez-en pour découvrir de véritables petits trésors de bien-être.

Fruits et Passion

Complexe Les Ailes
677, rue Sainte-Catherine Ouest (G7)
M° McGill
☎ (514) 496 0030
www.fruits-passion.com
Lun.-mer. 10h-18h, jeu.-ven. 10h-21h, sam. 10h-17h, dim. 11h-17h.

Fruits et Passion est une marque canadienne qui propose des produits écologiques à fragrance fruitée. Leur esthétisme et leur raffinement ont sans doute contribué au succès international de la marque. Vous ne saurez plus où donner de la tête au milieu de tous ces savons, gels douche, huiles de

bain aux mélanges de mûre-cassis ou poire-tilleul... Plus amusant, vous découvrirez aussi la ligne Cucina et son irrésistible liquide vaisselle (gingembre-citron de Sicile) ou la ligne de soins pour chien HOTdog comprenant une eau de toilette conçue spécialement pour l'odorat sensible des chiens (env. 28 $ pour 100 ml).

MAC

1307, rue Sainte-Catherine Ouest (C3)
M° Peel
☎ (514) 845 8085
www.maccosmetics.com
Lun.-mer. 10h-18h, jeu.-ven. 10h-21h, sam. 11h-18h, dim. 12h-17h.

Est-il encore nécessaire de vanter les mérites de cette marque de cosmétiques ? Née en 1984 à Toronto à l'instigation de deux maquilleurs professionnels désireux d'avoir sur le marché des produits s'appliquant aux exigences de leur métier, MAC offre une palette de rouges à lèvres et d'ombres à paupières d'une variété exceptionnelle ! Vous trouverez également une multitude de brosses et pinceaux ainsi que des crèmes de soins réparatrices.

Aveda

380, rue Sainte-Catherine Ouest (G7)
M° Peel ou McGill
☎ (514) 868 1414
www.aveda.com
Lun.-mer. 10h-17h, jeu.-ven. 10h-21h, sam. 10h-17h, dim. 12h-17h.

Allier beauté, respect de l'environnement et bien-être, telle est la volonté d'Aveda. Dans la boutique-salon du centre-ville, vous trouverez les célèbres soins pour cheveux qui symbolisent la réussite de cette marque américaine. La ligne aux huiles essentielles de menthe et de romarin et les divers shampooings spécialement étudiés pour protéger les cheveux colorés sont remarquables.

Bella Pella

1201, av. Mont-Royal Est (D2)
M° Mont-Royal
☎ (514) 904 1074
www.bellapella.com
Lun.-mer. 10h30-18h, jeu.-ven. 10h30-21h, sam.-dim. 11h-17h.

Derrière ce nom aux consonances italiennes, cette petite entreprise montréalaise fabrique de façon artisanale des « aliments » pour la peau mariant aromathérapie, art culinaire, recherche scientifique et herbes médicinales. La boutique située en sous-sol possède d'ailleurs des airs de laboratoire. Des produits, aux fragrances étonnantes (rose/cardamome, thé vert/lime…). Pratiques, les barres de shampooing compactes à mettre dans votre sac (env. 7 $) !

Lise Watier Institut

392, av. Laurier Ouest (C2)
M° Laurier
☎ (514) 270 9296
www.lisewatier.com
Lun. 9h-17h, mar.-mer. 9h-18h, jeu.-ven. 9h-21h, sam. 9h-17h, dim. 10h-17h.

Grand nom de la cosmétique canadienne, Lise Watier offre une large gamme de maquillage, soins et autres parfums – 350 produits, rien que ça ! Son emblème est sans doute le parfum Neiges qui détient un record de ventes au Québec. Parmi les autres produits phares de la collection, la crème de jour Hydra City, le perfecteur de teint Base Miracle et la ligne Quatuor composée de quatre fards à paupières réunis dans une petite boîte. Et puisque vous êtes à l'institut, pourquoi ne pas vous offrir un soin ?

Dans un Jardin

Complexe Desjardins
150, rue Sainte-Catherine Ouest (H7)
M° Place-des-Arts
☎ (514) 847 9373
www.dansunjardin.com
Lun.-mer. 9h30-18h, jeu.-ven. 9h30-21h, sam. 9h30-17h, dim. 12h-17h.

Voici une chaîne de parfumerie québécoise qui crée des arômes inattendus et ose la couleur ! Les lignes classiques, à base de fruits et de fleurs sont délicatement parfumées. Quant aux hommes, ils se bichonneront avec la ligne « Macho », un mélange épicé de bergamote, bois de santal, miel, lavande et jasmin. Comme si tout cela ne suffisait pas, on trouve aussi quelques produits culinaires.

LE LAIT DE CHÈVRE

Aussi surprenant que cela puisse paraître, le lait de chèvre possède une grande vertu hydratante : il contient de l'acide lactique, un des composants naturels de la peau. Et lorsque celle-ci en manque, elle sèche. Au Québec, on sait cela depuis bien longtemps et vous trouverez des produits cosmétiques au lait de chèvre à chaque coin de rue. Le plus répandu : le savon de la marque Canus, en vente en pharmacie, un pur délice…

Galeries d'art

Il est impossible de flâner dans les rues sans croiser de nombreuses galeries d'art. La plupart d'entre elles sont concentrées dans le Vieux-Montréal, le long de la rue Saint-Paul Ouest, ou sur la rue Sherbrooke, aux abords du musée des Beaux-Arts. Ces hauts lieux de créativité sauront vous séduire, et il y en a pour tous les goûts ! Enfin, ne manquez pas la Guilde canadienne des métiers d'art (voir p. 52).

Galerie Elena Lee

1460, rue Sherbrooke Ouest (B3)
M° Guy-Concordia
☎ (514) 844 6009
www.galerieelenalee.com
Mar.-ven. 11h-18h, sam. 11h-17h.

Cette galerie, fondée en 1976, est spécialisée dans le verre d'art contemporain. Elle présente les œuvres d'une soixantaine d'artistes dont la majorité sont canadiens, et organise des expositions mensuelles. De nombreuses techniques sont utilisées comme le cristal moulé, le verre thermoformé, le verre soufflé (parfois travaillé au chalumeau) ou encore le verre coulé dans du sable… Ne manquez pas les sculptures de Kevin Lockau, elles sont de toute beauté.

Galerie Berensen

1472, rue Sherbrooke Ouest (B3)
M° Guy-Concordia
☎ (514) 932 1319
www.galerieberensen.com
Sur r.-v. uniquement.

Situé dans un édifice datant du début du XXe s., ce splendide espace doté de hauts plafonds et d'immenses fenêtres ne pouvait que recevoir une galerie d'art. Spécialisée en peinture, sculpture et photographie d'artistes contemporains, la galerie Berensen abrite des expositions passionnantes telles des céramiques de Picasso.

La Gallery

4109, rue Saint-Denis (C3)
M° Mont-Royal
☎ (438) 380 6657
Lun.-mar. 11h-17h, mer. 11h-18h, jeu.-ven. 10h-21h, sam. 10h-17h, dim. 12h-17h.

Cette galerie totalement atypique propose un grand

nombre de planches originales de BD québécoise, franco-belge, de mangas et de comics. Une belle façon de rendre un hommage mérité aux artistes du « 9e art » ! Viennent s'ajouter des œuvres d'art contemporaines (peintures, sculptures…) à l'effigie de nos super héros ainsi que des expositions temporaires dédiées à un artiste reconnu ou à découvrir…

Galerie des Métiers d'Art du Québec

Marché Bonsecours
350, rue St-Paul Est (I8)
M° Champ-de-Mars
☎ (514) 878 2787
T.l.j. 10h-18h (jusqu'à 21h jeu.-ven. en été).

Un espace sublime qui présente le travail d'artistes contemporains québécois issus de plusieurs disciplines : verre, céramique, textile, meuble, joaillerie sculpturale… Parmi les nombreux artistes exposés, ne manquez pas les créations en verre soufflé de Carole Frève, les plumes et chapeaux d'Élyse De Lafontaine ou les hallucinantes chaises de Tibor Timar.

Galerie Noël Guyomarc'h Bijoux d'Art

137, av. Laurier Ouest (C2)
M° Laurier
☎ (514) 840 9362
www.galerienoel guyomarch.com
Mar.-mer. 11h-18h, jeu.-ven. 11h-20h, sam. 11h-17h, dim. 12h-17h.

À première vue, cette galerie ne paye pas vraiment de mine : elle semble sombre, étroite et sa vitrine est minuscule. Surtout, ne vous arrêtez pas à la première impression : le spectacle vaut le détour ! Des œuvres contemporaines d'une vingtaine d'artistes joailliers sont ici présentées, et cette abondance de créativité est ahurissante. Les matériaux les plus fous sont utilisés, pour un résultat toujours original et raffiné.

Galerie Mazarine

1448, rue Sherbrooke Ouest (B3)
M° Guy-Concordia
☎ (514) 982 6566
www.galeriemazarine.com
Mar.-ven. 10h-18h, sam. 10h-17h.

Pour celles et ceux que l'Orient fascine, voici une galerie spécialisée dans

les tapisseries et estampes japonaises et les sculptures bouddhistes en pierre, en bronze ou en bois provenant du Tibet, de Chine et du Sud-Est asiatique. Vous trouverez également une vaste collection de gravures européennes et américaines du XVIe au XIXe s. Bref, un espace très pointu destiné à tous les amateurs avertis.

CENTRE DE CÉRAMIQUE BONSECOURS

La céramique est un art très répandu à Montréal, et la ville abrite une multitude d'artistes fort talentueux. Le centre Bonsecours est une école d'apprentissage au sein de laquelle est installée, en rez-de-chaussée, une galerie exposant tout au long de l'année les travaux des élèves ou de céramistes déjà confirmés. Théières, vases ou objets décoratifs, ces réalisations uniques vous réserveront de belles surprises.

444, rue Saint-Gabriel (I8)
M° Champ-de-Mars ou Place-d'Armes
☎ (514) 866 6581
Lun.-ven. 10h-16h.

Pour la maison

Encore un domaine où Montréal fait très fort : la ville offre pléthore de magasins destinés à votre intérieur. Beaucoup de gadgets et d'accessoires, mais aussi de nombreuses boutiques de meubles design regroupées sur le boulevard Saint-Laurent, entre la rue Duluth et l'avenue Mont-Royal. Si la déco est votre passion, les quartiers de Westmount, Outremont et du Plateau devraient vous satisfaire, sans oublier le coin des antiquaires (voir p. 71). Ouvrez l'œil !

Les Touilleurs

152, av. Laurier Ouest (C2)
M° Laurier
☎ (514) 278 0008
www.lestouilleurs.com
Lun.-mer. 10h-18h, jeu.-ven. 10h-21h, sam. 10h-17h, dim. 11h-17h.

Derrière ce drôle de nom se cache une boutique haut de gamme entièrement consacrée à l'art de la cuisine. Couteaux, moules, instruments en bois, ustensiles de précision, livres, petit électroménager et linge de maison… si vous êtes fin cuisinier ou tout simplement un passionné des objets de cuisine, vous serez charmé par cette adresse ! Vous y ferez des trouvailles astucieuses comme la collection de « pagaies du gourmet » et pourrez même assister à un atelier de cuisine ou profiter d'une dégustation. Renseignez-vous sur le programme événementiel.

Bleu Nuit

3913, rue Saint-Denis (C3)
M° Sherbrooke
☎ (514) 843 5702
www.bleunuit.ca
Lun.-mer. 10h-18h, jeu.-ven. 10h-21h, sam. 10h-17h, dim. 12h-17h.

Avec un nom pareil, on s'en serait douté… Bleu Nuit se consacre à l'univers du linge de maison. Des tissus de très belle qualité et des imprimés qui jouent la sérénité constituent 'ensemble des collections. Du haut de gamme pour la chambre à coucher, mais aussi pour la salle de bains avec de sublimes peignoirs joignant utilité et décoration. Et pour que l'harmonie soit parfaite, quelques produits de beauté et accessoires dérivés trônent au centre de la pièce.

Chez Farfelu Maison

838, avenue du Mont-Royal Est (D2)
M° Mont-Royal
☎ (514) 528 8842
Lun.-mer. 10h-18h, jeu.-ven. 10h-21h, sam. 10h-17h, dim. 11h-17h.

Le paradis du gadget, de la couleur et de la fantaisie. Cette minuscule boutique regorge de petits riens qui animent l'univers d'une pièce : une amusante collection de rideaux de douche, les créations folles d'Alessi, les porte-éponge délirants de la marque allemande Koziol et, surtout, la vaisselle peinte à la main des créateurs québécois Kettö Design (les assiettes à sushi sont irrésistibles). Il n'y a pas d'âge pour se faire plaisir...

Turquoise

4461, bd St-Laurent (C2)
M° Mont-Royal
☎ (514) 286 6161
Lun.-mer. et sam. 10h-18h, jeu.-ven. 10h-19h, dim. 12h-17h.

Entrer dans cette boutique, c'est partir en voyage à travers le continent asiatique... Certes, il vous sera peut-être difficile de rapporter une armoire ou un cadre de lit en France, mais vous pourrez sans nul doute vous rattraper grâce aux nombreux objets déco et tissus qui sont proposés. À découvrir, les très originales sculptures taillées dans des troncs d'arbre venus d'Indonésie.

Arthur Quentin

3960, rue Saint-Denis (C3)
M° Sherbrooke
☎ (514) 843 7513
www.arthurquentin.com
Lun.-mer. 10h-18h, jeu.-ven. 10h-21h, sam. 10h-17h, dim. 12h-17h.

Depuis plus de 25 ans, Arthur Quentin est une référence en matière d'arts de la table. Ici, ce n'est pas la fantaisie mais bien l'élégance qui règne sur le magasin. Vaisselle, verrerie, ustensiles de cuisine, nappes et objets décoratifs, vous trouverez tout ce que vous désirez... et du haut de gamme s'il vous plaît ! C'est le moment ou jamais de vous procurer quelques accessoires pratiques comme la pincette pour retirer les arêtes de poisson ou la râpe japonaise.

Vie de Campagne

361, avenue Victoria (A3)
M° Vendôme
☎ (514) 484 2199
Lun.-ven. 10h-18h, sam. 10h-17h.

Au Québec, la nature fait partie du décor. Ce magasin le revendique avec ses meubles rustiques, son plancher de bois et les couvre-lits matelassés empilés sur les étagères. Un charme anglo-saxon qui n'est pas sans rappeler les greniers de nos grands-mères ! C'est l'occasion de rapporter dans vos valises des piques en étain pour vos plantations, des boîtes à thé, des pots à sucre ou de ravissantes mangeoires en bois pour oiseaux.

ZONE

Des objets ultradesign pour la maison, installés au sein d'un loft magnifique. Impossible de ne pas craquer face à cette quantité d'articles originaux et bon marché. Selon vos goûts, vous vous dirigerez vers ce ravissant set de six verres apéritif en verre soufflé, aux formes et aux couleurs variées, ou vers l'adorable parterre de fausses fleurs et d'herbes coupées... À moins que vous ne préfériez ce minuscule poisson rouge en plastique, si docile dans son aquarium ?

5014, rue Sherbrooke Ouest (A3)
M° Vendôme
☎ (514) 489 8901
www.zonemaison.com
Lun.-mer. 10h-18h, jeu.-ven. 10h-21h, sam. 10h-17h, dim. 10h-17h.

À déguster

Vous ne pourrez pas passer à côté des saveurs sucrées, omniprésentes dans les cuisines montréalaises. Même les grands chefs n'hésitent pas à marier, avec talent, des arômes à priori antinomiques. Cela étant, les produits du terroir québécois sont surprenants de délicatesse et les amateurs de légumes, de fruits et de fromages vont s'en donner à cœur joie. À ne manquer sous aucun prétexte : le marché Jean-Talon et le Marché des Saveurs du Québéc (voir p. 62) !

Le Fromentier

1375, av. Laurier Est (D2)
M° Laurier
☎ (514) 527 3327
Lun. 8h-18h, mar.-mer. 7h-19h, jeu.-ven. 7h-20h, sam. 7h-18h, dim. 7h-17h.

Il faut passer la grille et descendre les escaliers pour découvrir cet atelier de boulangerie unique en son genre. Derrière son comptoir, notre « fromentier » passionné prendra le temps de vous expliquer l'histoire de ses pains et de ses viennoiseries bio.
Des saveurs exquises sortent de ses petites quiches poivron-tomate-cumin-coriandre, de ses croissants à l'épeautre et au miel et de sa multitude de pains spéciaux. Juste derrière, le fromager et le charcutier proposent des produits du terroir à glisser dans votre pain !

Stand Serge Bourcier

Marché Atwater
138, avenue Atwater (B4)
M° Lionel-Groulx
Lun.-ven. 8h30-18h, sam.-dim. 8h30-17h.

Situé à l'extérieur du marché couvert (le long du marché aux fleurs), Serge Bourcier vend les meilleurs « catsups » (ou « ketchups ») de la ville (voir p. 29). Des sauces maison faites à base de légumes et de fruits pour ccompagner vos viandes rien à voir avec Mr Heinz, assurez-vous !). Vous en rouverez aux tomates rouges, aux tomates vertes, u maïs, aux courgettes… In pur délice ! Également es confits d'oignons à l'érable ou des poires aux pices, bref une quantité de etits bocaux à glisser dans os valises.

Chocolats Geneviève Grandbois

162, rue Saint-Viateur Ouest (C2)
M° Outremont ou Laurier, ou bus 55 ou 80
☎ (514) 394 1000
Lun.-mer. 10h-18h, jeu.-ven. 10h-21h, sam. 10h-18h, dim. 10h-17h
Stand au marché Atwater (B4 ; voir p. 70)
www.chocolatsgg.com

Préparés de façon artisanale à partir de chocolats noirs, sans sucre ajouté, les chocolats de Geneviève Grandbois fondent en bouche et marient des saveurs audacieuses. Piment, érable, caramel à la fleur de sel ou huile d'olive, ces arômes sont savamment associés à la délicatesse du cacao. Parmi les curiosités, le Chai, une infusion de thé noir indien, gingembre, poivre noir, anis étoilé, cardamome et… chocolat bien sûr. Un délice !

Saint-Viateur Bagel

263, rue Saint-Viateur Ouest (C2)
M° Outremont ou bus 46
☎ (514) 276 8044
www.stviateurbagel.com
T. l. j. 24h/24.

Au cœur du quartier juif d'Outremont, cette boulangerie artisanale fabrique le petit pain rond le plus populaire de Montréal. Vous pourrez y observer les artisans retirer, à l'aide d'une immense spatule, les bagels du four à bois. Nature, avec des graines de sésame ou parfumés aux raisins et à la cannelle, ils sont servis tout chauds. Si vous préférez les déguster en sandwich, rendez-vous au café situé 1127, av. du Mont-Royal Est (D2). Et pour découvrir d'autres saveurs, courez chez Fairmount Bagel (voir p. 65).

SAQ

• 501, place d'Armes (H8)
M° Place-d'Armes
☎ (514) 282 4533
Lun.-mer. 10h-18h, jeu.-ven. 9h30-21h, sam. 10h-17h30, dim. 12h-17h
• 1176, rue Sainte-Catherine Ouest (G7)
M° Peel
☎ (514) 861 7908
T. l. j. 11h-22h.

La SAQ est la société d'État mandatée pour le commerce des boissons alcoolisées. En bref, si vous souhaitez acheter une bouteille de champagne, c'est là qu'il faudra vous rendre. Le Québec n'est pas réputé pour ses alcools et pourtant, nos amis d'outre-Atlantique fabriquent quelques étonnants breuvages tels l'hydromel (vin de miel), le Sortilège (liqueur de whisky canadien et sirop d'érable), le cidre de glace et nombre de bières locales (voir p. 29). À consommer avec modération.

Camellia Sinensis

351, rue Emery (I6)
M° Sherbrooke
☎ (514) 286 4002
www.camellia-sinensis.com
Lun.-mer. et sam. 11h-18h, jeu.-ven. 11h-21h, dim. 12h-18h.

Camellia Sinensis est une maison de thé tenue par de véritables passionnés et experts en art du thé. En plus d'un choix prestigieux de thés, théières et accessoires, la boutique propose des formations et ateliers au sein desquels vous apprendrez les différentes vertus de ce breuvage, ses effets sur votre santé, les différentes techniques d'infusion, l'art de la cérémonie du thé au Japon, etc. De quoi combler l'épicurien qui est en vous !

LES PRODUITS DE L'ÉRABLE

Au Québec, la saveur du sirop d'érable s'est naturellement imposée dans nombre de recettes et ingrédients. Les gourmands pourront donc s'en délecter à n'importe quel moment de la journée. Beurre, moutarde, vinaigrette, thé, glaces, gâteaux… tout se parfume à l'érable ! Même la liqueur de whisky y est associée pour former une boisson veloutée nommée Sortilège. Pour le shopping, deux adresses incontournables : **Les Délices de l'Érable** (voir p. 100) et **le Marché des Saveurs du Québec** (voir p. 62).

Grands magasins
et centres commerciaux

Vous n'y échapperez pas ! Les centres commerciaux et les grands magasins font partie intégrante du paysage urbain de la ville. Reliés entre eux par un réseau de galeries souterraines (voir p. 32), ils vous inciteront à vous y perdre, histoire de faire durer le plaisir. Et par grand froid ou pluie battante, vous serez bien content de les trouver : un art de vivre en somme.

Holt Renfrew

1300, rue Sherbrooke Ouest (C3)
M° Peel
☎ (514) 842 5111
www.holtrenfrew.com
Lun.-mer. 10h-18h, jeu.-ven. 10h-21h, sam. 9h30-17h, dim. 12h-17h.

Inauguré en 1908, Holt Renfrew obtint vite une belle renommée grâce à ses collections de fourrure. Aujourd'hui, le grand magasin s'est largement diversifié mais abrite toujours, au 1er étage, un vaste espace consacré à ce type d'articles. Au second, une mode jeune et décontractée avec des marques américaines comme Theory ou Elie Tahari. L'espace homme est situé au rez-de-chaussée et le sous-sol propose un petit café chic et design pour grignoter sur le pouce salades ou sandwichs.

Simons

977, rue Sainte-Catherine Ouest (G7)
M° Peel ou McGill
☎ (514) 282 1840
www.simons.ca
Lun.-mer. 10h-18h, jeu.-ven. 10h-21h, sam. 9h-17h, dim. 12h-17h.

Fondée à Québec en 1840 et considérée comme un véritable empire de la mode, la Maison Simons aura attendu jusqu'en 1999 pour s'implanter à Montréal ! Ce vaste magasin de trois étages propose vêtements, linge de maison et lingerie

à un excellent rapport qualité/prix. Au centre de l'édifice, une gigantesque sculpture en panneaux de verre laminés et colorés, réalisée par Guido Molinari, offre un cachet original à cet espace.

Complexe Les Ailes

677, rue Sainte-Catherine Ouest (G7)
M° McGill
☎ (514) 288 3759
www.complexelesailes.com
Lun.-mar. 10h-18h, mer.-ven. 10h-21h, sam. 10h-17h, dim. 11h-17h (été fermeture 1h plus tard t. l. j.).

Un aménagement intérieur en alvéoles, utilisant du bois et du Plexiglas de couleur marron, donne un côté années 1970 à ce complexe, pourtant bien plus récent qu'il n'y paraît. Plutôt sobre et élégant, il abrite des boutiques chic comme M0851 (voir p. 56) ou SAQ (voir p. 121). Mais c'est surtout Les Ailes de la Mode, une chaîne de grands magasins québécoise, qui attire nombre de Montréalais.

Centre Eaton

705, rue Sainte-Catherine Ouest (G7)
M° McGill
☎ (514) 288 3708
www.centreeatondemontreal.com
Lun.-ven. 10h-21h, sam. 11h-18h, dim. 11h-17h.

Avec plus de 175 boutiques et restaurants, ainsi que 6 salles de cinéma, le Centre Eaton est certainement le plus fréquenté et le plus bruyant des centres commerciaux du quartier ! La plupart des enseignes de grandes chaînes américaines s'y regroupent (Gap, Jacob, Levi's, Aldo, Rudsak…). L'architecture intérieure de ce complexe ne possède pas l'originalité de ses voisins, mais un immense toit en verrière, laissant entrer une lumière naturelle, le rend néanmoins fort agréable.

La Baie

585, rue Sainte-Catherine Ouest (G7/H7)
M° McGill
☎ (514) 281 4422
www.labaie.com
Lun.-mer. 10h-19h, jeu.-ven. 10h-21h, sam. 9h-18h, dim. 10h-18h.

Ce magasin de plusieurs étages appartient à la Compagnie de la Baie d'Hudson, la plus ancienne société commerciale et la plus importante chaîne de grands magasins de détail au Canada. Vous trouverez des rayons mode, chic et bon marché ainsi qu'un vaste espace beauté, situé au rez-de-chaussée, où vous pourrez découvrir les délicieux produits « Bleu Lavande » fabriqués à base d'huile essentielle de lavande officinale certifiée. Sachez aussi que l'espace consacré à la maison propose une grande quantité d'objets décoratifs ou usuels très originaux.

Place Montréal Trust

1500, av. McGill College (G7)
M° McGill ou Peel
☎ (514) 843 8000
www.placemontrealtrust.com
Lun.-mar. 10h-18h, mer.-ven. 10h-21h, sam. 10h-17h, dim. 11h-17h.

Place Montréal Trust est moins étendu que ses concurrents, mais il détient un intérieur fantaisiste et coloré qui mérite un coup d'œil. Une gigantesque fontaine illuminée, installée en plein centre, orchestre le spectacle ! Pour les boutiques : de la mode et des accessoires, et deux étages consacrés à la lecture en langue française ou anglaise chez Indigo.

COMPLEXE DESJARDINS

Inauguré en 1976, ce complexe abrite des bureaux, le siège social de la Fédération des caisses populaires Desjardins, un hôtel, ainsi que 110 boutiques et restaurants. Au centre de l'édifice, la Grande-Place munie d'une splendide fontaine est un lieu de rassemblement accueillant diverses manifestations, dont la formidable « petite école du Jazz » durant le festival du même nom.

150, rue Sainte-Catherine Ouest (H7) – M° Place-des-Arts
☎ (514) 845 4636 – www.complexedesjardins.com
Lun.-mer. 9h30-18h, jeu.-ven. 9h30-21h, sam. 9h30-17h, dim. 12h-17h.

Artisanat
et souvenirs

Quoi de plus exaltant que de rapporter un objet unique et original qui vous fera revivre pour longtemps votre voyage ? Que vous soyez davantage adepte de lecture, décoration, mode, bijoux ou autre, les créations artisanales restent une des meilleures façons de satisfaire ces désirs. Et puis, c'est tout de même plus personnel qu'un classique bol orné d'une feuille d'érable, non ?

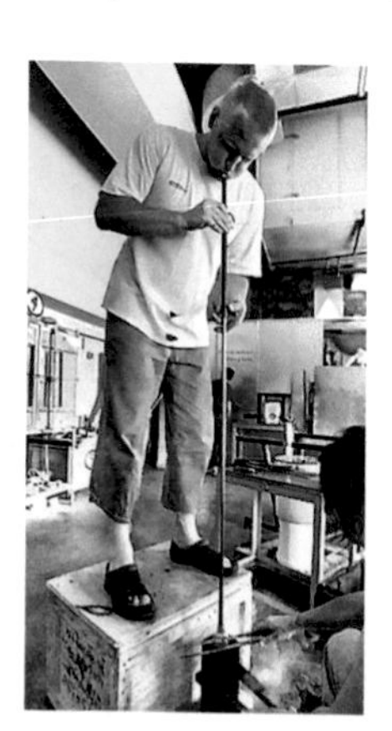

Gogo Glass – Verre Minuit

Marché Bonsecours
385, rue de la Commune Est (18)
M° Champ-de-Mars
☎ (514) 878 9698
Horaires variables, se renseigner.

Situé à l'étage inférieur du marché Bonsecours (voir p. 43). Gogo Glass – Verre Minuit est un atelier-boutique de verre soufflé. Vous aurez l'occasion de découvrir des souffleurs de verre au travail et de vous procurer des œuvres uniques, pleines d'originalité. Parmi celles-ci, les créations bicolores et raffinées de la Québécoise Annie Michaud dont les verres à vin, les beurriers et les mortiers (si, si !) sont irrésistibles.

L'Empreinte Coopérative

272, rue Saint-Paul Est (18)
M° Champ-de-Mars

☎ (514) 861 4427
Été : t. l. j. 10h-22h ; reste de l'année : horaires variables en fonction des saisons.

Cette galerie-boutique diffuse les créations de plus de 70 des meilleurs artisans du Québec, issues de toutes les disciplines. Vous découvrirez des objets très fantaisistes comme ces ronds de serviette en forme d'animaux faits de papier mâché, des choses plus sobres comme de magnifiques cruches en céramique, ou des souvenirs typiques telles les cuillères musicales en bois (env. 25 $). Et pour l'hiver, de magnifiques collections de chaussons et de chapeaux !

Boutique de Pointe-à-Callière

150, rue Saint-Paul Ouest (H8)
M° Place-d'Armes
☎ (514) 872 9149
Fin juin-début sept. : t. l. j. 11h-19h ; reste de l'année : mar.-dim. 11h-18h.

Installée dans l'édifice historique de l'ancienne douane, la boutique du musée de Pointe-à-Callière offre des œuvres d'art amérindien, des ouvrages historiques et archéologiques, une belle collection de pierres, de la poterie et tout un tas d'objets décoratifs venus du monde entier dont de très jolies pièces en pierre de savon provenant d'Afrique. Également un grand choix de bijoux artisanaux.

Poterie Manu Reva

5141, bd Saint-Laurent (C2)
M° Laurier
☎ (514) 948 1717
www.poteriemanureva.com
Mar.-ven. 12h-18h, sam. 10h-17h.

Plus de 30 artistes céramistes de la région sont représentés dans cette petite boutique à la devanture bleue. Les réchauffe-pain en terre cuite de Ghislaine Décary côtoient les corps recroquevillés de Marie-Anne Marchand, les créations champêtres de Claudel Hébert, les porte-brosses à dents de Christian Houle.

L'Art des Artisans du Québec

Complexe Desjardins
150, rue Sainte-Catherine Ouest (H7)
M° Place-des-Arts
☎ (514) 288 5379
Lun.-mer. 9h30-18h, jeu.-ven. 9h30-21h, sam. 10h-17h, dim. 12h-17h.

Il faut passer la porte de cette boutique pour découvrir cette quantité d'objets aussi futiles qu'indispensables pour de bonnes idées cadeaux à glisser dans vos valises. Les petites trouvailles de Gabrielle (anneaux design qui permettront de reconnaître votre verre de vin !) ou la vaisselle décorée des personnages naïfs de Léa sont irrésistibles (env. 18 $ pour un verre à whisky). Voyez aussi les bijoux, surprenants, comme les créations en papier et résine de l'atelier Chabert.

Dix Mille Villages

4128, rue Saint-Denis (C3)
M° Mont-Royal
☎ (514) 848 0538
www.tenthousand villages.ca.
Lun.-mer. et sam. 10h-18h, jeu.-ven. 10h-21h, dim. 12h-17h.

Dix Mille Villages est un organisme à but non lucratif qui distribue les créations d'artisans venus de pays en voie de développement. Dans une ambiance exotique et conviviale, vous pourrez acheter un tabla indien, de la poterie vietnamienne,

des châles péruviens ou de la vannerie africaine. Un petit bar propose des gâteaux maison et du café issu du commerce équitable. Une bonne façon de joindre l'utile à l'agréable.

MAIS AUSSI

- **Galerie Le Chariot** (p. 43)
- **Guilde canadienne des métiers d'art** (p. 52)
- **L'atelier-boutique Gaia** (p. 61).

Livres et musique

Il y a largement de quoi lire et écouter dans la métropole québécoise. Alors, puisque vous êtes dans une ville francophone, profitez-en ! Découvrez la vie populaire montréalaise à travers les écrits de Michel Tremblay, laissez-vous bercer par la poésie lyrique de Richard Desjardins puis emporter par le rock décalé des Cowboys Fringants.

LIVRES

Librairie Gourmande

Marché Jean-Talon
7070, rue Henri-Julien (C1)
M° Jean-Talon
☎ (514) 279 1742
www.librairiegourmande.ca
Lun.-mer. et sam. 9h-18h, jeu.-ven. 9h-20h, dim. 9h-17h.

Quelle riche idée que d'avoir conçu une librairie autour du thème de la gourmandise ! Vous y trouverez bien sûr de nombreux ouvrages de recettes de cuisine (profitez-en pour vous rapporter un livre de recettes québécoises), mais aussi des dictionnaires, des livres traitant d'un produit ou d'une coutume et surtout un grand choix de littérature culinaire... Des ouvrages venus du monde entier en français et en anglais. Régalez-vous !

Librissime

62, rue Saint-Paul Ouest (I8)
M° Place-d'Armes
☎ (514) 841 0123
www.librissime.com
Lun.-ven. 11h-18h, sam.-dim. 11h-17h.

Voici une petite librairie de quartier atypique qui se consacre entièrement aux beaux livres et aux collections rares. Art, archéologie, environnement, littérature, architecture, mode, biographie, il y en a pour tous les goûts ! Les ouvrages ne sont rangés ni par titre ni par auteur mais par éditeur, ce qui confère à la boutique un certain esthétisme. Des gants sont mis à disposition pour la consultation des ouvrages, c'est dire à quel point les livres sont aimés et respectés ! Une adresse pour les passionnés.

Librairie Renaud-Bray

1, Place Ville-Marie (G7)
M° Bonaventure
☎ (514) 788 5300
www.renaud-bray.com
Lun.-mer. 8h-18h, jeu.-ven. 8h-21h, sam. 9h30-17h, dim. 12h-17h.

Sorte de Fnac québécoise, la chaîne de librairies Renaud-Bray est le point de départ le plus simple pour se procurer romans et livres en tout genre. Le moment pour vous de découvrir la richesse de la littérature québécoise, voire canadienne. Des écrivains comme Monique Proulx, Guillaume Vigneault, Yann Martel, Marie Laberge ou, bien sûr, Michel Tremblay, comptent parmi les auteurs à succès.

Indigo

Place Montréal Trust
1500, av. McGill Collège (G7)
M° Peel ou McGill
☎ (514) 281 5549
www.chapters.indigo.ca
Dim.-mar. 10h-21h, mer.-sam. 10h-22h.

Indigo pourrait être le grand concurrent des librairies Renaud-Bray, à l'exception près, pour les francophones, qu'une bonne majorité des livres est en anglais. Et si vous profitiez de cette occasion pour vous perfectionner dans la langue de Shakespeare ?

Si ce travail vous paraît trop fastidieux, vous pouvez toujours commencer avec un livre pour enfants ou une bande dessinée, vous en trouverez de très bonnes.

MUSIQUE

Archambault

500, rue Sainte-Catherine Est (I6)
M° Berri-UQAM
☎ (514) 849 6201
www.archambault.ca
Lun.-ven. 9h30-21h, sam. 9h-17h, dim. 10h-17h.

Fondé en 1896, Archambault est le plus connu des magasins de musique de Montréal. Très réputé pour ses rayons de jazz et de classique, il offre également un grand choix de pop-rock qui vous permettra de découvrir la scène locale. Les musiciens ne seront pas en reste avec un vaste espace consacré aux instruments.

Pour ceux qui préfèrent regarder un film, la sélection de DVD est fort intéressante. C'est le moment de vous procurer quelques séries ou films cultes canadiens.

Primitive Records

3830, rue Saint-Denis (C3)
M° Sherbrooke
☎ (514) 845 6017
Lun.-mer. 11h-18h, jeu.-ven. 11h-21h, sam. 11h-18h30, dim. 12h-18h.

Cette boutique, bien connue des Montréalais, est une véritable mine d'or pour les amateurs de disques vinyles. Tous les styles y sont représentés avec un choix encore plus conséquent pour tout ce qui concerne les années 1960 (soul, jazz, pop), mais aussi les courants punk, funky ou garage. Tous les disques sont en écoute sur place et les propriétaires, en grands passionnés, sauront vous orienter.

LIBRAIRIE DU CENTRE CANADIEN D'ARCHITECTURE

L'architecture contemporaine, l'urbanisme, l'histoire et la théorie de l'architecture, la photographie, l'architecture des paysages et des jardins, la conservation du patrimoine, la muséologie et le design du monde entier… Voici tous les thèmes abordés dans cette librairie qui vaut vraiment le détour. Les ouvrages sont accessibles et très intéressants. Une bonne façon de découvrir l'histoire d'une ville que d'étudier celle de ses bâtiments…

1920, rue Baile (B3-4)
M° Guy-Concordia ou Atwater
☎ (514) 939 7028 – www.cca.qc.ca/Bookstore/
Mer.-dim. 11h-18h (17h en hiver), jeu. jusqu'à 21h.

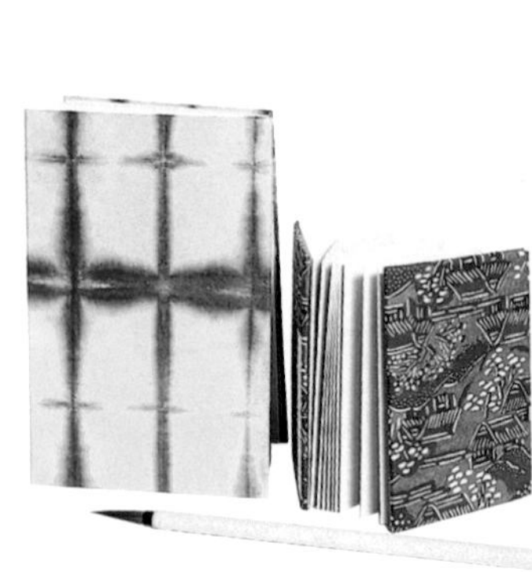

Magasins spécialisés

Pour les amateurs, les collectionneurs ou les curieux, ces magasins spécialisés forment en eux-mêmes de beaux voyages dans des mondes spécifiques. Accro d'informatique, fan de jeux de société, grand voyageur, inconditionnel de Noël ou passionné de cinéma, laissez-vous porter par ces lieux ciblés. Une belle occasion de se faire plaisir !

La Maison du Hamac

2009, rue Saint-Denis (I6)
M° Berri-UQAM ou Sherbrooke
☎ (514) 982 9440
Lun.-mer. 11h-18h, jeu.-ven. 11h-21h, sam. 11h-18h, dim. 12h-18h.

Minuscule et colorée, cette boutique offre une quantité de hamacs provenant de divers pays d'Amérique centrale ou d'Amérique du Sud. Fabriqués à la main, ils sont en filets ou tissés, et certains modèles sont dotés de tiges en bois aux extrémités… L'objet est tellement facile à glisser dans une valise. Pourquoi se priver ?

Apple Store

1321, rue Sainte-Catherine Ouest (C3)
M° Peel
☎ (514) 906 8400
www.apple.ca
Lun.-mer. 10h-18h, jeu.-ven. 10h-21h, sam. 9h-19h, dim. 11h-17h.

Le géant de l'informatique s'est installé en plein centre-ville dans un sublime bâtiment design de deux étages. Tous les produits de la marque sont magnifiquement présentés et en libre accès : les Ipod sont branchés et les Mac et autres Ipad tous connectés à Internet. De quoi tester votre produit avant achat. À l'étage, les techniciens du Genius Bar répondent à vos questions et diagnostiquent gratuitement sur place votre propre matériel.

Valet d'Cœur

4408, rue Saint-Denis (C2)
M° Mont-Royal
☎ (514) 499 9970
www.levalet.com
Lun.-mer. 11h30-18h, jeu.-ven. 11h30-21h, sam. 10h-17h, dim. 12h-17h.

Une boutique immense entièrement consacrée à l'univers du jeu et des loisirs. Destinée aussi bien aux enfants qu'aux adultes, elle propose jeux de société, jeux de cartes, jeux de rôles, jeux de questions, mais aussi des livres, des bandes dessinées, des puzzles ainsi que des articles de magie et de jonglerie. Une bonne occasion de rapporter quelques inédits comme le Monopoly Montréal ou un jeu de quiz sur le hockey ou le Québec. Impossible de repartir les mains vides !

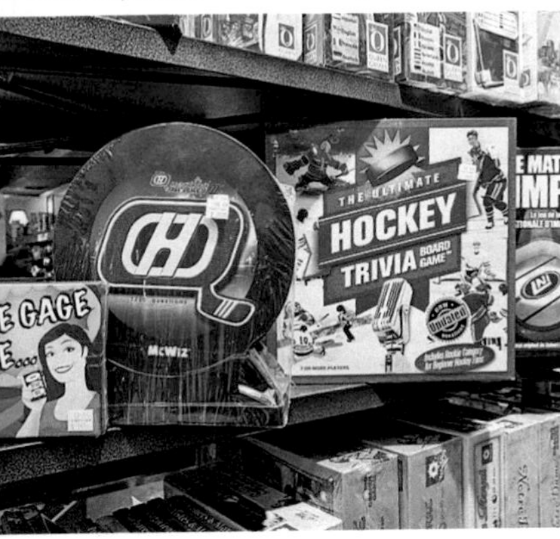

La Boîte Noire

376, avenue du Mont-Royal Est (C2)
M° Mont-Royal
☎ (514) 287 1249
T. l. j. 11h-23h.

Vous entrez ici dans l'univers du cinéma. Quelques livres consacrés au 7e art mais surtout une grande quantité de DVD à louer ou à acheter. Classiques, cinéma étranger ou films d'auteur, c'est une bonne occasion de se pencher sur le cinéma québécois, et plus généralement canadien, trop méconnu en France. N'hésitez pas à questionner les vendeurs qui sauront vous orienter vers tous les films cultes de leur pays.

Noël Éternel

461, rue Saint-Sulpice (H8)
M° Place-d'Armes
☎ (514) 285 4944
www.noeleternel.com
De juin à Noël : lun.-mer. 9h-18h, jeu.-dim. 9h-20h ; reste de l'année : t. l. j. 10h-18h.

Pour que Noël dure toute l'année, voici une boutique féerique proposant une multitude de décorations, miniatures et autres accessoires plus clinquants les uns que les autres. Vous trouverez aussi une variété de *fudges* – sortes de petits brownies délicieux – faits maison pour les grands gourmands.

Jet-Setter

66, rue Laurier Ouest (C2)
M° Laurier
☎ (514) 271 5058
www.jet-setter.ca
Lun.-mer. 10h-18h, jeu.-ven. 10h-21h, sam. 10h-17h, dim. 12h-17h.

Globe-trotter invétéré ou fan de gadgets, vous serez séduit par ce magasin entièrement consacré au voyage. En dehors de la multitude de sacs et valises qui sont bien sûr proposés, vous trouverez une quantité incroyable de gadgets pratiques et miniatures à glisser dans vos bagages : jeux, trousse de réparation de lunettes, ventilateur de poche, chargeur à manivelle pour cellulaires, mini-appareil photo numérique ou pèse-bagages… De quoi ne plus jamais être pris au dépourvu !

AU PAPIER JAPONAIS

Tout l'art du papier japonais. Aussi doux que du tissu et aussi beaux qu'une peinture, ces papiers vous séduiront. Vous découvrirez les différentes composantes de cet art, et notamment tous ses motifs : Chiyogami, Obonai, Kyo-Komon… Des créations maison ont même été fabriquées à partir de ces produits, tels des sacs à main, des boîtes pour le thé ainsi qu'une belle variété de cahiers et carnets d'adresses. Ne manquez pas non plus la collection de lampes située dans la seconde pièce.

24, avenue Fairmount Ouest (C2)
M° Laurier
☎ (514) 276 6863
www.aupapierjaponais.com
Lun.-sam. 10h-18h, dim. 12h-16h.

Sport et plein air

Le sport et les joies du plein air font partie intégrante de la vie quotidienne montréalaise. Vélo, roller ou jogging en été ; ski, raquettes ou patin à glace en hiver... sans oublier les escapades en pleine nature le temps d'un week-end. Et pourquoi vous n'en profiteriez pas vous aussi ? Après tout, c'est ça les vacances, non ?

Le Yéti

5190, bd Saint-Laurent (C2)
M° Laurier
☎ (514) 271 0773
www.leyeti.ca
Lun.-mer. 10h-18h, jeu.-ven. 10h-21h, sam. 9h30-17h, dim. 12h-17h.

Un peu excentré, ce magasin est néanmoins un véritable repaire pour les passionnés de la montagne, des sports de glisse et du cyclisme. Il est installé sur deux vastes niveaux et vous y trouverez tout ce qui se fait de mieux en matière de ski de randonnée, raquettes et ski alpin, mais aussi un formidable espace consacré au vélo – avec des marques comme Bianchi ou Fisherbikes. D'ailleurs, avis aux amateurs, Le Yéti est également un club de cyclistes.

Boutique Courir

4452, rue Saint-Denis (C2)
M° Mont-Royal
☎ (514) 499 9600
www.boutiquecourir.com
Lun.-mer. 9h30-18h, jeu.-ven. 9h30-21h, sam. 9h30-17h, dim. 12h-17h.

Une boutique assez généraliste même si, comme son nom l'indique, une grande place est réservée aux baskets. À l'étage, on découvre un grand choix de vêtements de sport pour femme à des prix très compétitifs. Au rez-de-chaussée, vous trouverez tout un tas d'accessoires utiles et branchés comme les sacs à dos Camelbak ou les pochettes pour vélo Eaglecreek.

Atmosphère

1610, rue Saint-Denis (I6)
M° Berri-UQAM
☎ (514) 844 2228
Mai-déc. : lun.-ven. 10h-21h, sam. 10h-17h, dim. 10h-17h ; reste de l'année : lun.-mar. 10h-18h, mer.-ven. 10h-21h, sam.-dim. 11h-17h.

Installé entre le théâtre Saint-Denis et un mégacomplexe

e cinéma, ce vaste magasin e consacre au sport et aux oisirs dans une ambiance des lus conviviales – on aime es kayaks colorés accrochés u plafond ! Un espace amping et randonnée propose es accessoires pratiques et onctionnels ainsi qu'une elle sélection de chaussures le marche.

Chlorophylle

567, rue Saint-Denis (I6)
M° Berry-UQAM
☎ (514) 845 1712
www.chlorophylle.net
Lun.-mar. 10h-18h, mer.-ven. 10h-21h, sam. 10h-17h, dim. 11h-17h.

Née en 1980 à Chicoutimi, une petite ville située au nord du Québec, grâce à de véritables passionnés de nature, Chlorophylle a bien grandi depuis ! Cette compagnie canadienne se consacre entièrement aux vêtements de plein air pour hommes, femmes et enfants. Les matières utilisées sont de haute qualité et sont étudiées pour une adaptation parfaite à la rigueur du climat nord-américain (été comme hiver). Les tons acidulés des collections s'accordent avec brio aux tenues de ville, que demander de plus ?

Lululemon Athletica

4361, rue Saint-Denis (C2)
M° Mont-Royal
☎ (514) 849 3719
www.lululemon.com
Lun.-mer. et sam. 10h-18h, jeu.-ven. 10h-21h, dim. 11h-17h.

Fondée à Vancouver, Lululemon Athletica est un fabricant de vêtements de sport dont les lignes s'inspirent des tenues de yoga. Très colorées et conçues dans des matières agréables à porter et anti-irritantes, les collections se déclinent en plusieurs formes (du short au pantalon et du collant à l'évasé). Il y en a donc pour tous les goûts, et même si vous ne faites pas de yoga, vous trouverez bien une autre occasion pour les porter !

Altitude

4140, rue Saint-Denis (C2-3)
M° Mont-Royal
☎ (514) 847 1515
www.altitude-sports.com
Lun.-mer. 10h-18h, jeu.-ven. 10h-21h, sam. 10h-17h, dim. 12h-17h.

On ne le dira jamais assez, le Québec est le paradis des amoureux de la nature. Cette boutique, comme tant d'autres, l'a bien compris et s'est spécialisée dans ce domaine. Vous y trouverez absolument tout ce dont vous rêviez pour vos randos ou votre prochain plan camping. Et surtout, si vous pratiquez souvent la montagne, pensez à venir vous équiper ici.

Underworld

251, rue Sainte-Catherine Est (I6)
M° Berri-UQAM
☎ (514) 284 6473
www.underworld-shop.com
Lun.-mer. et sam.-dim. 10h-18h, jeu.-ven. 10h-21h.

Voici cette fois un espace entièrement voué au skateboard et à son univers. Au rez-de-chaussée, les vêtements et accessoires ultrabranchés (de la petite basket au sac à main), à l'étage, les célèbres planches toutes plus colorées et créatives les unes que les autres. Indispensable pour revoir son look de A à Z avant de dévaler en beauté les trottoirs de votre ville préférée !

KANUK

Petite entreprise québécoise fondée il y a maintenant plus de trente-cinq ans, Kanuk est spécialisé dans la confection de manteaux chauds et isolants, pour vous aider à supporter la rudesse de l'hiver local. Conçus pour l'aventure extrême et le camping d'hiver – mais aussi pour la ville –, ils se déclinent dans une grande variété de formes et de couleurs. Mais attention, la haute technicité a un prix et il vous faudra compter environ 500 $ pour un imperméable… eh oui !

485, rue Rachel Est (C2/D2)
M° Mont-Royal
☎ (514) 284 4494
www.kanuk.com
Lun.-mer. 9h-18h, jeu.-ven. 9h-21h, sam. 10h-17h, dim. 12h-17h.

Friperies, recup et solderies

C'est dans le quartier du Plateau et sur le boulevard Saint-Laurent qu'est concentrée la majorité des friperies et solderies. Les fins de séries ont toujours ravi les dingues du « magasinage », tandis que la fripe constitue, auprès d'un public jeune et décontracté, un courant de mode en soi. Alors suivez le rythme, et de toute façon, vous ferez des affaires...

Eva B.

2015, bd Saint-Laurent (H6/I6)
M° Saint-Laurent
☎ (514) 849 8246
www.eva-b.ca
Lun.-sam. 10h-22h, dim. 12h-20h.

Un café-boutique entièrement dédié aux fripes ! Dans un joyeux bazar, vous trouverez de tout, du jean vieilli à la robe d'été en passant par le smoking taille enfant. Des costumes sont aussi en location à l'étage, au cas où... L'accueil est vraiment charmant et la maison projette d'ouvrir, en plus, une galerie ; décidément incontournable.

Hadio

314, av. du Mont-Royal Est (C2)
M° Mont-Royal
☎ (514) 286 7042
Lun.-mer. 11h-18h, jeu.-ven. 11h-21h, sam.-dim. 12h-17h.

Depuis 1993, Hadio s'est spécialisé dans le tee-shirt vintage pour homme et femme avec un concept séduisant puisque lorsque vous achetez un tee-shirt (quelque soit le modèle), le prix du second est réduit de 50 %. Si vous êtes adepte de vieilles publicités, d'anciennes séries télé ou de Titi et Gros Minet, laissez-vous tenter, le choix est vaste !

Échantillons Solo

1328, av. Laurier Est (D2)
M° Laurier
☎ (514) 521 7656
Mar.-mer. 11h-18h, jeu.-ven. 11h-21h, sam.-dim. 11h-17h.

Une charmante boutique-solderie de quartier remplie d'agréables surprises.
La femme est mise à l'honneur avec de magnifiques robes colorées et des jupes mi-longueur aux imprimés des plus gais. Des marques originales comme Groovy ou Oonu y sont représentées. Et toute proche du coin salon, une petite collection de bijoux viendra accessoiriser vos essayages.

L'Atelier

4247, rue Saint-André (D2)
M° Mont-Royal
Jeu.-ven. 10h-18h,
sam. 10h-17h.

L'Atelier est une minuscule solderie de linge de maison qui regorge de belles trouvailles. La boutique distribue les anciennes collections des magasins Bleu Nuit et Arthur Quentin (voir p. 118-119), ce qui garantit la qualité des produits.
Les prix sont franchement attractifs. Faites juste attention aux tailles de draps, qui diffèrent parfois de celles que l'on trouve en France (le *queen size* par exemple est légèrement plus petit que son homologue français).

Preloved

4832, bd Saint-Laurent (C2)
M° Mont-Royal
☎ (514) 499 9898
www.preloved.ca
Lun.-mer. 12h-19h, jeu.-ven. 12h-20h, sam. 11h-16h, dim. 12h-16h.

Une belle découverte que ce magasin qui fabrique pour homme comme pour femme des pièces uniques à partir de vêtements vintage. Au résultat, trois lignes de vêtements (Preloved, Handcut et Bloved) qui mêlent le style d'autrefois avec les tendances actuelles. Des pulls très originaux et des robes magnifiques (comptez entre 40 $ et 200 $ selon le modèle).
À découvrir absolument.

Friperie Saint-Laurent

3976, bd Saint-Laurent (C3)
M° Sherbrooke ou bus 55
☎ (514) 842 3893
Lun.-mer. 11h-18h,
jeu.-ven. 11h-21h,
sam. 11h-17h, dim. 12h-17h.

Les vitrines, très attractives, vous donneront sans doute envie d'entrer dans cette friperie qui sent bon le vieux cuir. Les manteaux coûtent entre 50 et 150 $ et l'on trouve des vestes en peau, aux coupes variées, à partir de 40 $. Sinon, vous trouverez de tout, des tee-shirts Old Navy aux robes de soirée en passant par des maillots de sport ou les « classiques » chemises hawaïennes. Ne ratez pas non plus de sympathiques accessoires, comme ces ravissants sacs à main.

KITSCH'N SWELL

Ce magasin au look quelque peu décalé, qui précise avec humour à l'entrée *not made in China*, propose un grand choix d'articles vintage allant des années 1940 aux années 1970. Vêtements, chaussures et chapeaux trônent au milieu d'objets en tout genre (vaisselle, lampes, valises, téléphones…), le tout dans une ambiance kitsch due, entre autres, au papier panthère qui orne les murs !
Une adresse qui vaut largement le coup d'œil et désormais, une seconde boutique consacrée aux robes de soirées et à la lingerie de ces dames se trouve juste à côté. Du pur bonheur !

3968, boulevard Saint-Laurent (C3)
M° Mont-Royal
☎ (514) 845 6789
www.kitschnswell.ca
Lun.-mer. 12h-18h,
jeu.-ven. 12h-21h,
sam.-dim. 12h-17h.

Sortir mode d'emploi

Où sortir ?

Montréal possède une multitude de bars, de théâtres et de boîtes de nuit qui sauront vous tenir en éveil. L'été, la ville vit, en outre, au rythme de ses nombreux festivals. Les pôles stratégiques sont incontestablement le boulevard Saint-Laurent (C1-4/I6-8) pour ses nombreux bars branchés, la rue Crescent (C3-4) pour ses pubs et son ambiance anglophone, le Quartier latin (C3/D3, I6) et le Plateau (C2-3/D2-3) pour leurs multiples théâtres, le centre-ville pour ses boîtes de nuit, ou encore le Village pour sa trépidante vie nocturne.

Programme

La meilleure façon d'être informé sur l'actualité culturelle de la ville est de se procurer les hebdomadaires *Voir*, *Hour* ou *Mirror*. Ils paraissent le jeudi et sont distribués gratuitement dans le métro. Le premier est en français, les deux autres en anglais. Vous pourrez aussi trouver des informations ainsi que des articles de fond dans le quotidien *La Presse*. D'autre part, l'office de tourisme édite trimestriellement une brochure intitulée *Quoi faire à Montréal* qui pourra vous donner des idées.

Achat de billets

Vous pouvez acheter votre billet directement au guichet de la salle, mais cela n'est pas toujours évident compte tenu de leurs horaires variables. Pour vous permettre de réserver vos billets (même depuis la France), il existe des

LES TEMPS FORTS

De nombreux festivals ponctuent le rythme de la ville tout au long de l'année (voir p. 4). Évidemment, les rendez-vous les plus festifs sont ceux qui prennent les rues d'assaut durant l'été comme le Festival de Jazz ou les Francofolies mais il existe un rendez-vous d'hiver de plein air totalement délirant et atypique, l'Igloofest. Installés sur le Vieux-Port, durant trois week-ends de janvier, les plus grands artistes de la scène électronique vous feront danser et oublier les rigueurs de l'hiver !

Igloofest
Quai Jacques-Cartier (I8) – M° Champ-de-Mars
www.igloofest.ca
Ven.-sam. 18h-minuit – Accès payant.

AVIS AUX FUMEURS

Depuis mai 2006, il est strictement interdit de fumer dans tous les bars et restaurants.

réseaux distribuant des billets pour tout style de spectacle et d'événement, même sportif. Que vous achetiez vos places par téléphone ou par Internet, vous aurez besoin d'une carte bancaire pour payer et, bien souvent, vous devrez vous en munir pour les retirer une fois sur place.

Ticketpro
www.ticketpro.ca
☎ (514) 908 9090
ou ☎ 1 (866) 908 9090.

Admission
www.admission.com
☎ (514) 790 1245
ou ☎ 1 (800) 361 4595.

Il existe aussi à Montréal un guichet unique d'informations et de vente où vous trouverez des billets pour des spectacles en tout genre (théâtre, concerts…) à prix régulier ou tarif réduit pour les achats de dernière minute :

La Vitrine
145, rue Sainte-Catherine Ouest (H7) M° Place-des-Arts
☎ (514) 285 4545
www.vitrineculturelle.com
Dim.-mar. 11h-18h, mer.-sam. 11h-20h.

Sécurité

Montréal fait partie des villes les plus sûres d'Amérique du Nord. Sur la rue Sainte-Catherine Est (D3/I6), vous croiserez sans doute des jeunes réclamant de l'argent mais, même si leur look est parfois surprenant (il s'agit souvent de punks), ils ne sont pas agressifs. Vous pourrez donc parcourir les rues sans aucune crainte et profiter pleinement de vos vacances.

Horaires, alcool : réglementation

En général, les spectacles débutent à 20h. Entre 17h et 19h, les bars proposent souvent un *happy hour*,

rendez-vous bien apprécié de la population montréalaise. Les boîtes de nuit ouvrent leurs portes dès 22h et ferment à 3h, tout comme les bars. Cet horaire de fermeture s'explique par une loi qui interdit la vente d'alcool au-delà de 3h du matin. Concernant la législation sur l'alcool, sachez également qu'il est interdit d'en boire dans la rue.

Petites faims…

Si après un spectacle ou une soirée en boîte vous êtes pris d'une petite faim, que faire ? Vous pourrez toujours trouver quelques cafés, chaînes de restauration rapide et dépanneurs ouverts 24h/24 en centre-ville ou rue Saint-Denis (C1-4/I6-8), au cœur du Quartier latin. Les fans de *smoked meat* se rendront chez Schwartz's ouvert jusqu'à 2h30 le samedi (voir p. 57) et les dingues de bagels chez Fairmount ouvert 24h/24 (voir p. 65). Sinon, il vous reste l'incontournable Club Sandwich. Avec son allure de *diner* des années 1950, ce restaurant, ouvert 24h/24, est l'un des rendez-vous nocturnes favoris des affamés de la nuit.

Club Sandwich
1578, rue Sainte-Catherine Est (D3)
M° Papineau
☎ (514) 523 4679.

SE REPÉRER

Nous avons indiqué pour chaque adresse Sortir sa localisation sur le plan général (B2, G8…). Pour un repérage plus facile en préparant votre week-end ou lors de vos balades, nous avons signalé sur le plan par un symbole violet toutes les adresses de ce chapitre. Le numéro en violet signale la page où elles sont décrites.

Bars, spectacles

1 - *Le Saint-Sulpice*
2 - *Dieu du Ciel*
3 - *Le Cheval Blanc*
4 - *Foufounes Électriques*

BARS

Vieux-Montréal du côté Ouest

Terrasses Bonsecours

Quais du Vieux-Port (I8)
M° Champ-de-Mars
☎ (514) 288 9407
www.terrasses bonsecours.com
Mai : jeu.-dim. et j. f. 11h-minuit
Juin-Sept. : t. l. j. 11h-3h
Événements ponctuels le reste de l'année.

Devenues un rendez-vous incontournable de l'été, les Terrasses Bonsecours (situées au cœur du bassin, face au marché Bonsecours) mettent le feu sur le Vieux-Port. Dans une ambiance de boîte de nuit, elles permettent de siroter un cocktail devant une vue imprenable et panoramique de Montréal. Trois salles au choix : le Lounge, le VIP et le bar principal, possédant toutes une terrasse sur les toits.

La « Main »

Laïka

4040, bd Saint-Laurent (C3)
M° Mont-Royal
☎ (514) 842 8088
www.laikamontreal.ca
Lun.-ven. 8h30-3h, sam.-dim. 9h-3h.

Vous pouvez y prendre un repas léger et un café tout au long de la journée, mais c'est surtout le soir que le Laïka prend toute sa dimension. Au sein d'un décor clair et épuré, ce lounge, très branché, accueille différents DJ pour des soirées drum'n'bass, funk ou électro, devenues aussi populaires les unes que les autres.

Pullman

3424, avenue du Parc (H6)
M° Place-des-Arts
☎ (514) 288 7779
www.pullman-mtl.com
T. l. j. 16h30-1h.

Voici sans doute l'un des bars à vins les plus chic et design de la ville ! Installé sur trois niveaux offrant chacun une ambiance propre, Pullman propose une carte de plus de 200 vins du monde entier. Et si vous avez une petite faim, sachez que ce lieu magique fait galement office de restaurant vec une carte de tapas à couper souffle.

Du Quartier latin au Village

.e Cheval Blanc

09, rue Ontario Est (D3)
1° Berri-UQAM
☎ (514) 522 0211
www.lechevalblanc.ca
. l. j. 15h-3h.

e Cheval Blanc est une des lus anciennes microbrasseies de Montréal. Dans ce petit ndroit convivial, sombre et antaisiste (des plantes sont nême accrochées au mur !), ous dégusterez des bières maion répondant aux doux noms le Cap Tourmente ou Berlue. Certains soirs, un trio de jazz ient se joindre au mouvement. L'ambiance y est très sympathique et bon enfant.

Le Saint-Sulpice

1680, rue Saint-Denis (I6)
M° Berri-UQAM
☎ (514) 844 9458
www.lesaintsulpice.ca
T. l. j. 11h-3h.

Réparti sur 4 étages, ce « barresto-boîte » est un haut lieu du Quartier latin. Les étudiants de l'université voisine comptant parmi la plus fidèle clientèle, l'ambiance est plutôt jeune. Parfois, un groupe vient jouer certains soirs. En été, ce bar est pris d'assaut du fait de l'agréable jardin situé à l'arrière.

Outremont / Mile End

Dieu du Ciel

29, av. Laurier Ouest (C2)
M° Laurier
☎ (514) 490 9555
www.dieuduciel.com
T. l. j. 15h-3h.

Voici une autre microbrasserie bien appréciée des Montréalais ! Plus vaste et plus bruyante que Le Cheval Blanc, cette taverne propose une quantité de bières artisanales aux goûts subtils. Les amateurs y trouveront forcément leur bonheur. Sachez qu'il est aussi possible d'y manger (pizzas, salades, sandwichs…). Comptez environ 4 $ pour une pinte avant 19h et 5,25 $ après.

BARS-CONCERTS

Autour de la rue Sainte-Catherine

House of Jazz

2060, rue Aylmer (G6/H6)
M° McGill
☎ (514) 842 8656
www.houseofjazz.ca
Lun.-jeu. 11h30-0h30, ven. 11h30-2h30, sam. 18h-2h30, dim. 18h-0h30
Accès payant pour certains événements.

Anciennement connu sous le nom de Biddle's (en hommage au contrebassiste Charlie Biddle), la House of Jazz est considérée comme un des plus grands clubs de jazz de la ville même si son côté guindé et son restaurant tendent à faire de l'ombre à la programmation musicale. Le restaurant est spécialisé dans la cuisine de Louisiane ; le combo poulet et côtes est très réputé.

Mille Carré Doré

Hurley's Irish Pub

1225, rue Crescent (C3-4)
M° Lucien-L'Allier
☎ (514) 861 4111
www.hurleysirishpub.com
T. l. j. 11h-3h.

C'est un des plus anciens pubs de Montréal. Idéalement situé au cœur de la rue Crescent, le Hurley's vous fera passer une soirée inoubliable grâce à ses musiciens spécialistes de folklore irlandais ! Les amateurs de scotch ou de whisky devraient trouver leur bonheur. Les autres pourront toujours se rattraper devant le feu de cheminée, bien agréable en hiver pour se réchauffer…

Quartier des spectacles

Foufounes Électriques

87, rue Sainte-Catherine Est (I6-7)
M° Saint-Laurent
☎ (514) 844 5539
www.foufounes.qc.ca
T. l. j. 15h-3h (à partir de 16h en hiver)
Accès payant pour les concerts.

Lieu légendaire des nuits montréalaises par excellence, les « Foufounes » (qui signifient « fesses » au Québec) abritent des soirées rock, punk, hard rock, gothic ou techno depuis de longues et belles années ! C'est à la fois un bar (avec une grande et agréable terrasse), une salle de concerts et un club. Autant dire que l'ambiance est carrément décapante, la musique très forte et que les looks les plus fantaisistes sont réunis, à commencer par la façade extérieure du lieu qui vous donnera un avant-goût !

SE FAIRE UNE TOILE

Il existe plusieurs complexes de cinéma, encore faut-il faire attention ! Selon les salles, vous pourrez en effet visionner votre film en anglais (sans sous-titres), ou en français, alors lisez bien les programmes ! Pour les films d'auteur ou le cinéma indépendant, privilégiez l'Ex-Centris (voir p. 57).

Du Quartier latin au Village

Bistro à Jojo

1627, rue Saint-Denis (I6)
M° Berri-UQAM
☎ (514) 843 5015
www.bistroajojo.com
T. l. j. 13h-3h.

Réputé pour être l'antre du blues, ce bar (aux allures de pub) accueille chaque soir des groupes de la scène locale, qu'ils jouent du blues (la plupart du temps), ou du rock (certains soirs). En été, les grandes baies vitrées donnant sur la rue Saint-Denis sont entièrement ouvertes, ce qui permet aux passants de profiter pleinement de la musique.

Jello Martini Lounge

151, rue Ontario Est (I6)
M° Saint-Laurent
☎ (514) 285 2009
www.jellomartini lounge.com
Mar. 21h-3h, mer.-sam. 17h-3h
Accès payant.

La décoration rétro chic est absolument craquante et l'ambiance est extrêmement conviviale. Le Jello Bar propose chaque soir des concerts de funk, de R&B, de salsa ou de swing. La carte offre plus de 50 cocktails originaux et colorés. Pour celles et ceux qui n'aiment pas danser, un billard se trouve au fond de la salle.

Plateau Mont-Royal

Dièse Onze

4115A rue St-Denis (C3)
M° Mont-Royal
☎ (514) 223 3543
www.dieseonze.com
T. l. j. 17h-3h.

Loin de l'atmosphère apprêtée de la House of Jazz, le Dièse Onze est un bar-club intimiste et chaleureux où se produisent tous les soirs le meilleur de la scène jazz locale dans la plus pure tradition des clubs new-yorkais. Les premiers concerts ont lieu dès 18h avec du jazz manouche tandis que les seconds, programmés à 20h30 ou 21h, rendent hommage à tous les courants du jazz. Sans oublier les jam sessions du mardi soir ou les soirées cubaines du lundi… Petite restauration sur place.

L'Escogriffe

4467A, rue Saint-Denis (C2)
M° Mont-Royal
☎ (514) 842 7244
T. l. j. 13h-3h
(à partir de 17h en hiver)
Accès payant pour certains événements.

L'endroit, pas très grand, est bien vite rempli certains soirs de concert ! Le jazz prédomine dans la programmation avec, entre autres, des soirées hommage à Django Reinhardt et du swing manouche. Rock et jazz-funk sont parfois de la partie. Bref, une excellente adresse pour boire un verre, d'autant que la carte propose de très bonnes bières de microbrasseries locales. De quoi passer une belle soirée !

Les Bobards

4328, bd St-Laurent (C2)
M° Mont-Royal
☎ (514) 528 4343
www.lesbobards.qc.ca
Mar.-dim. 15h-3h.

Voici un des bars les plus animés du quartier avec Djs (à partir de 22h ou minuit) et concerts *live* (21h) tous les soirs orientés musique du monde. Soirées brésiliennes, cubaines, slaves, africaines, reggae ou haïtiennes, sans oublier les mercredis swing, il y en a pour tout les goûts ! Un bar où il fait bon danser et faire la fête jusque dans la nuit. Attention, il n'y a aucune place assise !

Outremont / Mile End

Casa del Popolo

4873, bd Saint-Laurent (C2)
M° Laurier
☎ (514) 284 3804
www.casadelpopolo.com
T. l. j. 12h-3h
Accès payant pour certains événements.

À la fois restaurant végétarien, café et salle de spectacle, la Casa del Popolo est un lieu très prisé par de jeunes épicuriens et artistes en herbe. On y présente des concerts de tout style musical mais aussi des soirées D (les lundis) ou *spoken word*. Juste en face, la Sala Rossa, leur seconde salle, abrite divers concerts (rock, reggae, indie, flamenco…), ainsi qu'un resto proposant tapas et paella.

BOÎTES DE NUIT

Autour de la rue Sainte-Catherine

Funky Town

1454A, rue Peel (G7)
M° Peel
☎ (514) 282 8387
Jeu.-sam. 20h-3h
Accès payant (sf jeu.).

Son nom vous a tout dit, vous êtes au royaume du funk ! Les damiers lumineux de la piste de danse et les fauteuils rétro rappellent avec amusement l'époque révolue de *La Fièvre du samedi soir*. Les jeudis sont, en général, consacrés aux tubes francophones des années 1950, 1960 et 1970. Avis aux amateurs…

Du Quartier latin au Village

Sky Pub Sky Club

1474, rue Sainte-Catherine Est (D3)

1 - Usine C
2 - Sky Pub Sky Club
3 - Théâtre du Nouveau Monde

1 - Usine C
2 - Sky Pub Sky Club
3 - Théâtre du Nouveau Monde

M° Beaudry
☎ (514) 529 6969
www.complexsky.com
Pub : t. l. j. 12h-3h (à partir de 14h en hiver)
Club : jeu.-sam. 22h-3h
Accès payant valable pour tout le complexe.

Situé au cœur du Village, le Sky est un complexe fréquenté par la communauté gay. D'abord le pub, où prédominent largement les hommes, puis un cabaret proposant des spectacles de travestis et enfin la boîte de nuit. Celle-ci, dotée de plusieurs pistes de danse aux styles musicaux variés, accueille une clientèle festive et plutôt jeune (les hétérosexuels sont les bienvenus). En été, la terrasse sur le toit permet de profiter des beaux jours.

Cabaret Mado

1115, rue Sainte-Catherine Est (D3)
M° Beaudry
☎ (514) 525 7566
www.mado.qc.ca
T. l. j. 16h-3h.

Lieu réputé des soirées du Village, le Cabaret Mado et son équipe de *drag queens* présentent des spectacles endiablés à l'humour caustique ! Dans un décor flashy et une ambiance sympathique, Mado et ses copines mènent l'impro avec brio. Pour les amateurs de chant, des soirées karaoké sont généralement programmées le lundi.

Plateau Mont-Royal

Le Diable Vert

4557, rue Saint-Denis (C2)
M° Mont-Royal
☎ (514) 849 5888
www.lesitedudiable.com
Mar., jeu.-sam. 21h-3h
Accès payant.

Avec son intérieur rouge vif, on se demande pourquoi ce lieu s'appelle Le Diable Vert. Cela étant, il s'agit incontestablement d'un des lieux les plus populaires de la ville auprès des 18-25 ans. Ce n'est pas une boîte de nuit classique mais plutôt un bar doté d'une piste de danse. La musique alterne entre rock, salsa, hip-hop ou world music. En fin de semaine, prenez votre mal en patience, la file d'attente peut être très longue.

SPECTACLES

Quartier des spectacles

Théâtre du Nouveau Monde

84, rue Sainte-Catherine Ouest (H7)
M° Place-des-Arts
☎ (514) 866 8668
www.tnm.qc.ca
Tarif variable en fonction des manifestations.

Après avoir accueilli des compagnies variées pendant plus d'un siècle, le théâtre du Nouveau Monde (TNM), rénové en 1997, n'inscrit désormais que des pièces classiques à son répertoire. On y voit ainsi représentées des œuvres de Shakespeare, de Federico García Lorca ou encore de Nancy Houston.

Monument national

1182, bd Saint-Laurent (I7)
M° Saint-Laurent
☎ (514) 871 2224
www.monument-national.qc.ca
Tarif variable en fonction des manifestations.

Construit en 1893 par la Société Saint-Jean-Baptiste, il fut l'un des premiers bâtiments multifonctionnels du Canada. Aujourd'hui, il appartient à l'École nationale de théâtre et accueille des spectacles variés. Le Monument national et son aménagement sont considérés, à juste titre, comme une prouesse architecturale…

La « Main »

Théâtre La Chapelle

3700, rue St-Dominique (C3)
M° Sherbrooke

☎ (514) 843 7738
www.lachapelle.org
Tarif variable en fonction des manifestations.

Salle multidisciplinaire, le théâtre de La Chapelle accueille aussi bien des spectacles de danse, de théâtre ou de musique contemporaine. La priorité de sa programmation va aux créations originales dans lesquelles priment la recherche et l'expérimentation.

Du Quartier latin au Village

Usine C

1345, av. Lalonde (D3)
M° Beaudry
☎ (514) 521 4493
www.usine-c.com
Tarif variable en fonction des spectacles.

Usine C est un centre de création et de diffusion pluridisciplinaires proposant aussi bien du théâtre, de la danse, des concerts, de la littérature que des expos de peinture, de photo ou de sculpture. Des spectacles d'avant-garde bien appréciés des Montréalais.

Agora de la Danse

840, rue Cherrier Est (D3)
M° Sherbrooke
☎ (514) 525 1500
www.agoradanse.com
Tarif variable en fonction des manifestations.

Installée dans un pavillon de l'université du Québec à Montréal (UQAM), l'Agora présente des spectacles de danse contemporaine et expérimentale avec des artistes comme Margie Gillis ou Harold Rhéaume.

Plateau Mont-Royal

Théâtre d'Aujourd'hui

3900, rue Saint-Denis (C3)
M° Sherbrooke
☎ (514) 282 3900
www.theatre daujourdhui.qc.ca
Tarif variable en fonction des manifestations.

Le théâtre d'Aujourd'hui se consacre depuis 40 ans aux œuvres de création québécoise. L'endroit idéal pour découvrir des auteurs, metteurs en scène et comédiens méconnus du public français.

Théâtre du Rideau vert

4664, rue Saint-Denis (C2)
M° Laurier
☎ (514) 844 1793
www.rideauvert.qc.ca
Tarif variable en fonction des spectacles.

Doyen des théâtres du Canada, le théâtre du Rideau vert est installé rue Saint-Denis depuis 1960. Il présente une programmation allant du théâtre classique aux créations contemporaines en passant par des spectacles musicaux.

Hors plan

TOHU

2345, rue Jarry E. (HP par D1)
M° Jarry et autobus 193 Est ou M° D'Iberville et autobus 94 Nord
☎ (514) 376 8648
www.tohu.ca
Tarif variable en fonction des représentations.

La TOHU est un magnifique complexe qui abrite l'École nationale de cirque, le siège social du Cirque du Soleil ainsi qu'une magnifique salle de spectacle circulaire destinée bien sûr aux arts du cirque mais qui propose aussi des spectacles gratuits de musique, de danse et de théâtre. Des représentations novatrices et de très haute qualité pour toute la famille.

SPORTS

Au pied de la cathédrale

Centre Bell

1909, av. des Canadiens-de-Montréal (C4)
M° Lucien-L'Allier ou Bonaventure
☎ (514) 932 2582
www.centrebell.ca
Tarif variable en fonction des représentations.

Le Centre Bell, immense stade multifonctionnel, est avant tout l'hôte des matchs de hockey des Canadiens, la célèbre équipe montréalaise. Lieu culte pouvant accueillir jusqu'à 22 000 supporters, le Centre reçoit aussi quelques combats de boxe, des artistes de renommée internationale (comme Céline Dion) ou de grands spectacles comme *Disney on Ice*.

GESÙ ET LA PLACE DES ARTS

La salle de spectacle du centre de Créativité Gesù (voir p. 55) offre une programmation très riche, issue d'univers différents et permettant de découvrir de nouveaux talents. Dans un tout autre style, le complexe de la Place des Arts (voir p. 54), épicentre de la vie culturelle, est le lieu incontournable pour tout amateur de musique classique, de ballets et d'opéras.

- Orchestre symphonique de Montréal :
☎ (514) 842 3402 – www.osm.ca
- Grands Ballets canadiens :
☎ (514) 849 0269 – www.grandsballets.com
- Opéra de Montréal :
☎ (514) 985 2222 – www.operademontreal.com

Édition originale et nouvelle édition revue
et enrichie par **Sandrine Rabardeau.**
Ont également collaboré : **Cassandre Fenoy et Aurélie Joiris-Blanchard.**
Cartographie : **Frédéric Clémençon et Aurélie Huot.**
Mise en pages intérieur : **Chrystel Arnould.**
Conception graphique de la couverture : **Thibault Reumaux.**

Contact publicité :
vhabert@hachette-livre.fr – ☎ 01 43 92 32 52.

Écrivez-nous :
Aussi soigneusement qu'il ait été établi, ce guide n'est pas à l'abri de changements d[e] dernière heure, d'erreurs ou d'omissions. Ne manquez pas de nous faire part de vo[s] remarques. Informez-nous aussi de vos découvertes personnelles, nous accordons la plus grand[e] importance au courrier de nos lecteurs :

Guides *Un grand week-end* – Hachette Tourisme
43 quai de Grenelle – 75905 Paris Cedex 15
E-mail : weekend@hachette-livre.fr

Crédit photographique

Intérieur
Toutes les photographies de cet ouvrage ont été réalisées par **Nicolas Edwige**, à l'excep-tion de celles des pages suivantes :

© **Philippe Renault :** p. 4, p. 6, p. 7, p. 8, p. 15 (b. d.), p. 18 (ht g.), p. 20 (ht g. et ht d.), p. 21, p. 25 (c. et b. d.), p. 33 (b.), p. 34 (ht g.), p. 35 (ht et c.), p. 36, p. 43 (b. g.), p. 50, p. 51 (ht d.), p. 53 (b. c.), p. 55 (b. d.), p. 57 (b.), p. 61 (c. d.), p. 62, p. 65 (ht g.), p. 66, p. 69 (ht), p. 74, p. 76 (ht), p. 84 (ht g. et b. d.), p. 88, p. 90 (ht d.), p. 91 (b. d.), p. 92 (ht d., ht g., c. g.), p. 93, p. 94, p. 95 (ht g., c. d.), p. 96 (ht d.), p. 100 (ht. d.), p. 102, p. 104 (ht g.), p. 106 (b. d.), p. 107 (ht g.), p. 113, p. 118 (ht d. et b.), p. 121 (b.), p. 126 (b.), p. 129, p. 131, p. 133 (b.), p. 134, p. 136 (ht d. et b. d.), p. 139 (ht g. et b. d.).
© **Tourisme Montréal, Stéphan Poulin :** p. 24 (ht g.).
© **Festival Montréal en lumière, Jean-François Leblanc :** p. 24 (ht d.).
© **Festival International de Jazz de Montréal, Jean-François Leblanc :** p. 24 (b.).
© **Parc Jean-Drapeau, Sébastien Larose :** p. 27 (c. g.).
© **Office national du Film du Canada, Jac Mat :** p. 31 (c.).
© **Le Dépanneur Café, Victorine Yok :** p. 99 (ht g., b. g.).
© **L'Emporte-pièce, Mathieu Sparks :** p. 99 (ht d.).
© **Robin des Bois, Hans Laurendeau :** p. 95 (b. g.)
© **Boutique Onze :** p. 111 (b.).

Couverture :
Philippe Renault à l'exception du visuel principal :
Photos.com/Getty Images/Jupiterimages

Illustrations

Virginia Pulm.

Imprimé en Slovaquie par Polygraf
Dépôt légal : juin 2011 – Collection N°44 – Édition : 01
ISBN : 978-2-01-244799-8 – 24/4799/3